AF446402

تريندز للبحوث والاستشارات
TRENDS RESEARCH & ADVISORY

تطوُّر إرهاب الذئاب المنفردة من المقاومة بلا قيادة إلى البث المباشر للهجمات

جيفري كابلان

اتجاهات استراتيجية (20)
يوليو 2022

مركز تريندز للبحوث والاستشارات

يُعـد مركـز ترينـدز للبحـوث والاستشـارات مؤسسـة بحثيـة مسـتقلة تأسـس عـام 2014، ويهتـم باستشـراف المسـتقبل في جوانبـه الاسـتراتيجية والسياسـية والاقتصاديـة، وتتبـع القضايـا العالميـة المختلفـة. كـما يهـدف المركـز إلى تحليـل الفـرص والتحديـات عـلى مختلـف الصعـد الجيوسياسـية الراهنـة، ومـا تحملـه مـن متغـيرات محتملـة، مـع محاولة إيجـاد إجابـات وتفسـيرات علميـة وموضوعية مـن شـأنها المسـاهمة في التأثـير في اتجاهـات الأحـداث مـع مراعـاة نواحـي التحليـل والنقـد والاستشـراف.

ويقـدم المركـز مـن أجـل تحقيـق غاياتـه العلميـة، دراسـات رصـينة ذات أبعـاد استشـرافية مسـتقبلية، ويطرح أفضـل البدائـل الممكنة لمسـاعدة صنّـاع القـرار في معرفـة التطـورات الإقليميـة والدوليـة بشـكل أعمـق، والاسـتفادة مـما توفـره مـن فـرص. كـما يقـوم المركـز برصـد الاتجاهـات والتغيـيرات الاسـتراتيجية والاقتصاديـة والإقليميـة والدوليـة، بشـكل أعمـق، والاسـتفادة مـما توفـره مـن فـرص، والتنبـؤ بآثارهـا المسـتقبلية، وذلـك وفـق الضوابـط العلميـة المتعـارف عليهـا دوليـاً لـدى أعـرق مراكـز التفكـير والبحـث العلمـي.

قائمة المحتويات

ملخص تنفيذي

عندمـا وضَعَ تكسـاس كلانسـمان لويـس بيـم مقالتـه الرائـدة «مقاومـة بـلا قيـادة» في مجلـة «ذا سيديشنسـت» :The Seditionist الفصليـة عـام 1992، كتـب مقالـة مصاحبـة لهـا أيضـاً أقـل شـهرة يقـدم فيهـا مشـورته «للوطنيـين» حـول استخدام الحاسـوب، أو في حالـة عـدم حـدوث ذلك، يتم تقديـم إرشـادات بخصوص إعداد لوحة الإعلانات الهاتفية للموالين الذين لا يُحسنون التعامل مع التقنية.

كان بيـم نافـذ البصيـرة مـن الناحيـة التكتيكيـة، لكـن الأمـر اقتضـى صعـود نجـم بِيـل غيتـس ونظـام وينـدوز 95 لتحقيـق حلمـه بذئـب منفـرد وتحويلـه إلى حقيقـة عـلى أرض الواقـع. لقـد تبنَّى اليمـين المتطرف العابـر للحـدود استراتيجية بيـم بالضرورة نظراً إلى عـدم قدرتـه عـلى تشكيل قدرات تنظيميـة آمنة. سـتقتفي هـذه المقالـة أثـر تطـور الذئـب المنفـرد اليمينـي مـن الصـور الرمزيـة المبكرة لأمثـال جوزيـف بـول فرانكلـين مـن سـتينيات القـرن العشريـن إلى عمليـات القتـل التـي تُحـرِّكها وسـائل التواصل الاجتماعـي في كرايستشرش، نيوزيلنـدا، عـام 2019. وستبين المقالـة أن تكتيـك الذئـب المنفـرد لم ينتـشر لخدمـة أغـراض اليمـين المتطرف فحسـب، وإنَّمـا الأهـم مـن ذلـك أن التحولات التقنيـة والاجتماعيـة والسياسـية التـي أثَّـرت في المجتمـع السـائد في القـرن الحـادي والعشريـن بدَّلـت الطريقـة التـي تُوظَّـف بهـا تكتيكات الذئب المنفـرد، والتي تسـتوعبها الذئـاب المنفـردة المعاصرة المنتميـة إلى اليمـين المتطـرف. ستبدأ الدراسـة بدراسـتَي حالـة متناقضتَـين، إحداهـما لجوزيـف بـول فرانكلـين الـذي اسـتهل هـذه الظاهـرة كلهـا في سـتينيات القـرن العشريـن، ومجموعـة مـن الذئـاب المنفـردة الأحـدث، وعـلى رأسـهم أندرس بريفيـك وبرينتـون تارانـت. ولقـد سـاعدَ بـث الأخيـر لهجـمات إطـلاق النـار في المسـجد النيوزيلنـدي في

كرايستشرش، وبيانه «الاستبدال العظيم» المصاحب لهجومه، على نقل تكتيك الذئب المنفرد إلى القرن الحادي والعشرين. وبعد ذلك، ستلتفت الدراسة إلى النظرية الأكاديمية المعنية بإرهاب الذئاب المنفردة.

مقدمة

بالتزامـن مـع مقتـل أسـامة بـن لادن وسـقوط الرقـة، تـلاشى خطـر العنـف الإرهابـي الواسـع النطـاق عـلى غـرار نمـوذج هجـمات الحـادي عـشر مـن سبتمبر مـن أولويـات خطـط مكافحـة الإرهـاب الغربيـة. وقـد تـرك ذلـك المجـال مفتوحـاً للهجـمات الفرديـة أو الهجـمات التـي تُنفذهـا الخلايـا المسـتقلة التـي سرعـان مـا اعتُرِفَ بهـا بوصفهـا التهديـد الإرهابـي الرئيسـي. ولقـد ظهـر مصطلـح «الذئـاب المنفردة» في الدراسـات ليدل على هذا الضرب من التهديد.

تمتـاز الذئـاب المنفـردة بمزايـا عـدة. بالنسـبة إلى الأذكيـاء بالقـدر الكـافي الذيـن يتجنبـون وسـائل التواصـل الاجتماعـي، يسـتطيع هـؤلاء الإرهابيـون أن يعملـوا مـن وراء سـتار، دون أن تكشـفهم الشرطـة أو الأجهـزة الأمنيـة. وبوسـعهم انتقـاء أهدافهـم وشـن هجـوم عليهـا بحسـب مـا يـتراءى لهـم. وبالتخطيـط البـارع، يكـون بوسـعهم العمـل لفـترات زمنيـة طويلـة نسـبياً، بيـد أن السـواد الأعظـم منهـم يخطـط لأعمالـه بحيـث تمثـل ضربـة واحـدة قاضيـة. ويمكنهـم العمـل تحـت لـواء منظمـة إرهابيـة أيضـاً، مثـل: «القاعـدة» أو «داعـش»، بالتواصـل معهـا في أضيـق الحـدود أو دون تواصـل معهـا بالمـرة. وفي حـالات أخـرى، تنسـب الجماعـات الإرهابيـة المنافِسَـة هجمات الذئب المنفرد إلى نفسها، حتى لو أنكر الذئب المنفرد نفسه ذلك.

ولكـن، للذئـاب المنفـردة العديـد مـن المسـاوئ البالغـة الأهميـة أيضـاً. فهـم يفتقـرون إلى التدريـب والدعـم اللوجيسـتي، ويعملـون باسـتخدام أسـلحة بسـيطة، مثل المسدسـات أو الأسـلحة البيضـاء أو عربـات يدهسـون بهـا الحشـود. وسـنناقش فيـما يـلي عـدة حـالات نجحـت فيهـا الذئـاب المنفـردة في تنفيـذ عمليـات قتـل جماعـي، وفيـما عـدا ذلـك فـإن عنـف الذئـاب المنفـردة يكـون محـدود النطـاق في

معظـم الأحيـان. ولذلـك فـإن هجـمات كتلـك التـي وقعـت في الحـادي عـشر مـن سبتمبر أو تفجيرات لندن في السابع من يوليو نادرة الحدوث جداً.

في هـذه الصفحـات، نتتبـع تاريخ عنـف الذئـاب المنفـردة مناقشـة للكتابات الأكاديميـة التـي تناولـت ظاهـرة الذئـب المنفـرد، وأخيـراً سـننتقل إلى دراسـات حالـة للهجـمات الإرهابيـة في العديـد مـن المصـادر، سـواء تلـك التـي شـنها متشـددون إسـلامويون أو يمينيـون متطرفـون أو آخـرون. وتُختتـم هـذه الصفحـات بنقـاشٍ لـما يُحتمل أن يُخبئه المستقبل لإرهاب الذئاب المنفردة.

كيف بدأت الظاهرة كلها: جوزيف بول فرانكلين

كان جوزيـف بـول فرانكلـين، الـذي أُطلـق عليـه حـين وُلِـد اسـم جيمـس كلايتـون فـون جونيـور، رمـزاً لعنـف الذئـاب المنفـردة المحسـوبة عـلى اليمـين الأمريكـي المتطرف. وكان مقـدراً أن تكون جرائمُـه نموذجـاً لتلك الحركـة، لكـن حتـى لحظـة اعتقالـه ومحاكمتـه، كان مجهـولاً تمامـاً سـواء بالنسـبة إلى الحركـة أو إلى عامـة النـاس. وفي نهايـة المطـاف، كان سـفاحاً ناجحـاً نجاحـاً منقطـع النظيـر، لكنـه كان إرهابيـاً فاشـلاً. فالعمـل الإرهابـي، بحسـب التحليـل الأخيـر، رسـالة لا أكـثر ولا أقـل. وهـي رسـالة مُوجَّهَـة إلى القـوى التـي تتمتـع بسـلطة صنـع القـرار التـي يمكنهـا إمـا الاستجابة لمطالب الإرهابيـين وإمـا رفضهـا، وإمـا، في أحسـن الأحـوال، المبالغـة في رد فعلهـا للتهديـد لدرجـة أن كثيـراً مـن النـاس سـينضمون إلى صفـوف الإرهابيـين خوفـاً مـن عنـف الدولـة الـذي يسـتهدف اقتـلاع جـذور الإرهابيـين مـن بينهـم. ومـن المؤسـف أن ضحايـا العنـف الإرهابـي مـا هـم سـوى اللوحـة التـي تُرسَـم عليهـا أفعـال الإرهـابي. وبراءتهـم هـي التـي تجعـل الإرهـاب فعّـالاً، إذ إن غالبيـة الهجـمات الإرهابية الناجحة عشوائية بطبيعتها، ما يجعل الجمهور يتعاطف مع الضحايا.

خـلال مسـيرة فرانكلـين المهنيـة، التـي امتـدت لأكـثر مـن عقـد مـن الزمـان، منـذ أن قرر عـام 1968، إذ كان في الثامنـة عـشرة مـن عمـره، الانضمـامَ إلى الحـزب النـازي الأمريكـي بزعامـة جـورج لينكولـن روكويـل حتـى اعتقالـه عـام 1980، قتـلَ كثيريـن وأصـاب آخريـن بجـروح - مـا زلنـا لا نعـرف عـلى وجـه اليقـين عددهـم - في موجـة مـن العنـف امتـدت مـن ساحـل إلى ساحـل بدوافـع عنصريـة. ومـع ذلك، فهـو لم يُعلـن عـن أفعالـه قط. ولم تصـدر أي بيانـات صحفيـة أو رسـمية أو رسـائل إلى المحـرر للإقـرار بأفعالـه. ولم تُجـرَ أو تُنـشر أي

مقابـلات شـخصية في النـشرات الإخباريـة للحركـة أو أدبياتهـا. ولم يكـن لديـه أي اتصـال معلـوم مـع رمـوز الحركـة. والأهـم مـن ذلـك أن أفعالـه كانـت تُنفَّـذ بعيـداً عـن مسـقط رأسـه. فهـو لم يُؤثَـر عنـه أنـه كـرر ضرباتـه مرتَـين في الولايـة القضائيـة ذاتهـا. ولذلـك تعاملـت الشرطـة المحليـة مـع جرائِمـه بوصفهـا جرائـم محليـة محضـة، بينـما لم تضـع السـلطات الفيدراليـة قَـطُّ مخططـاً يَمنحهـا سـبباً وجيهـاً للمشـاركة في التحريـات. ولقـد سـاعده ذلـك عـلى العمـل بحريـة وأريحيـة، لكنـه ضيَّـع عـلى نفسـه فرصـة اقتـداء ذوي الفكـر المماثـل لـه بـه. وإلى حـين اعتقالـه والكشـف علنـاً عـن جرائِمـه، لم يكـن لأفعالـه أثـر في اليمـين المتطـرف مطلقـاً. ولكـن، بعـد اعتقالـه قُدِّر لهـذا الوضـع أن يتغير.

ومـن المثـير للدهشـة أنـه نظـراً إلى مكانتـه بعـد وفاتـه في اليمـين المتطـرف الأوروبـي-الأمريكـي، فـإن حياتـه لم تُـدرس إلا قليـلاً. فـلا توجـد أي مقـالات أكاديميـة عنـه، ولم تُنشـر عنـه سـوى دراسـتَين؛ والاثنتـان واسـعتا الانتشـار أكـثر مـن كونهـما أكاديميتَـين. وأفضلهـما دراسـة ميـل آتـون «روح الجنـوب الخبيثـة: حيـاة وجرائـم القاتل العنصري جوزيف بول فرانكلين»:

Dark Soul of the South: The Life and Crimes of Racist Killer Joseph Paul Franklin [1]. وثانيتهما، «دماء على الأرض: قصة حقيقية عن العنصرية والجنس والقتل في الجنوب»:

«*Blood in the Soil: A True Tale of Racism, Sex, and Murder in the South* بقلـم كارول تاونسـند، تُركِّـز عـلى جريمـة واحـدة؛ ألا وهـي محاولـة قتـل فيرنـون جـوردن الناشـط الرائـد في مجـال الحقـوق المدنيـة، مستشـار الرئيـس كلينتـون[2]. وكان جوردن محظوظاً بما يكفي لينجو من الهجوم العنصري.

1. Mel Ayton ,Dark Soul of the South :The Life and Crimes of Racist Killer Joseph Paul Franklin) Washington, D.C :.Potomac Books2011 ,.

2. Carole Townsend, Blood in the Soil: A True Tale of Racism, Sex, and Murder in the South)New York, NY: Skyhorse Publishing, 2016).

وأما جوزيـف فرانكلـين فشـأنه شـأن كثير مـن معاصريـه في اليمـين المتطرف في سـتينيات القـرن العشريـن، وأبرزهم: جيمـس ماسـون، وجوزيـف توماسـي، الذين شكّلوا جبهـة التحريـر الاشتراكية الوطنيـة في عـام 1969، حيث أصبـح مفتونـاً في مراهقتـه بتشارلز مانسـون، الـذي اغتـال أتباعـه كالممثلـة شـارون تيـت وجنينها الـذي لم تلـده، وآخريـن كُثُراً، لشن حرب عنصرية سيخرج العنصر الأبيض منها في نهاية المطاف مُنتصراً[3].

لقـد كان فرانكلـين وحيداً، حتـى وهـو داخـل الحـزب النـازي الأمريـكي العنصري بشـكلٍ متزايد، الـذي أسـسـه روكويـل. بالنسـبة إليـه كان أعضاء الحـزب النـازي الأمريـكي في أحسـن الأحـوال مقاتلـين في الشـوارع، لم يكـن لديهـم اسـتعداد لحمّام الـدم الـذي سـيكون ضروريـاً لإشـعال فتيـل حـرب عِرقيـة. وكان أول عمـل عنيفٍ لـه أُديـن بارتكابـه عـام 1976 عندمـا رشّ علبـة مـن رذاذ الفلفـل عـلى زوجـين مـن أعـراق مختلطـة. وسـرعان مـا تصاعدت وتيـرة أعمالـه العنيفـة. ففـي غضـون عـام واحـد، زرع قنبلـة في منـزل زعيـم الجاليـة اليهوديـة وقصف كنيسـاً يهوديـاً. وفي أغسطس 1977، أطلـق النـار عـلى زوجَـين مـن أعـراق مختلطـة فأرداهمـا قتيلَين وهما يركضان معـاً في مدينة ماديسـون، ولاية ويسكونسـن.

واتضـح أن الراكضَيـن المختلطَـي الأعـراق هـدف مفضل لديـه، ولكـن عـلى مـدار مسـيرته الحافلـة بالعنـف، اسـتهدف فرانكلـين مجموعـة متنوعـة مـن الضحايـا. كـما أن تنـوع أهـداف فرانكلـين وانتقالاتـه بـين الولايـات الأمريكيـة جعلـه هدفـاً صعب المنـال للشرطـة تحديـداً. ويُحـدِّد الرسـم البيـاني أدناه بدقـة مسار جرائم فرانكلين[4]:

---

3. Ayton, Dark Soul of the South: The Life and Crimes of Racist Killer Joseph Paul Franklin: 33. On the NSLF, see Jeffrey Kaplan, Encyclopedia of White Power: A Sourcebook on the Radical Racist Right (Walnut Creek: AltaMira Press, 2000), 221-3; Jeffrey Kaplan, "The Post-War Paths of Occult National Socialism: From Rockwell and Madole to Manson", Patterns of Prejudice 35, no. 3 (2001): 41-67.

4. Sam Brauer ,Ryan A .Bruch ,Ashleigh Benois» ,James Clayton Vaughn Jr .AKA Joseph", Paul Franklin https://kipdf.com/james-clayton-vaughn-jr-aka-joseph-paul-franklin_5ae280297f8b9a103a8b45f6.html Cf .Ayton ,Dark Soul of the South :The Life and Crimes of Racist Killer Joseph Paul Franklin.8-271 :.

جيمـس كلايتـون فـون جونيور المعـروف باسـم جوزيف بـول فرانكلـين أيضاً

أجرى البحث عن المعلومات وأوجزها

سام براور وريان أيه بروك وآشلي بينوا

قسم علم النفس، جامعة رادفورد، مدينة رادفورد، ولاية فرجينيا 24142-6946

أحداث حياته	العُمر	التاريخ
وُلِدَ في مدينة موبايل، ولاية ألاباما، وسُمِّي جيمس كلايتون فون جونيور	0	13/4/1950
إصابة في الرأس - حادث دراجة	7	1957
هجرَ الأب العائلة، وكان يزورها بين الحين والآخر	8	1958
سرقَ نسخة من كتاب «كفاحي» Mein Kampf، لأدولف هتلر	15	1965
ترَك مدرسة مورفي الثانوية في نهاية العام الدراسي للمرحلة الثانوية	17	1967
التقى بوبي لويز دورمان (16 عاماً) وتزوجها بعد أسبوعين. وانفصلا لاحقاً، بعد أربعة أشهر من الزواج لا أكثر	18	فبراير 1968
انضم إلى الحزب النازي الأمريكي الواقع في مدينة أرلينغتون	18	1968
أصبح مهووساً بخطة تشارلز مانسون لشن حرب عرقية	19	1969
بدأ بإهانة الأزواج ذوي الأعراق المختلطة	20	1970
أُدين بحيازة سلاح خفي في مدينة فيرفاكس، ولاية فرجينيا	22	1972
انضم إلى حزب حقوق الولايات الوطنية	23	1973
شرع في بيع صحيفة عنصرية اسمها «ذا ثاندربولت» The Thunderbolt	23	1973
انضم إلى جماعة كو كلوكس كلان في أتلانتا، ولاية جورجيا (وتركها بعد أشهر قليلة بسبب عدم تبنّي الجماعة العنف)	26	1976

الحدث	العمر	التاريخ
اقتفى أثر رجل أسمر البشرة كان يواعد امرأة بيضاء البشرة، وحاصرهما ورشّ عليهما رذاذ الفلفل (مقاطعة مونتغمري، ولاية ماريلاند)	26	9/6/1976
أرسل رسالة تهديد للرئيس المنتخب حديثاً جيمي كارتر	26	1976
غيّرَ اسمه إلى جوزيف بول فرانكلين	26	1976
انضم إلى الحرس الوطني لولاية ألاباما الأمريكية	27	1977
ارتكب أول جريمة سطو كبرى على بنك في مدينة أتلانتا، ولاية جورجيا	27	1977
فجَّرَ منزلَ الزعيم اليهودي موريس أميتاي	27	25/7/1977
فجَّرَ كنيساً يهودياً في مدينة تشاتانوغا، ولاية تينيسي	27	29/7/1977
انتقل إلى مدينة ماديسون الواقعة في ولاية ويسكونسن، وسرق أحد البنوك، وخطط لإطلاق النار على آرتشي سيمونسون، لكنه عدلَ عن رأيه وأطلق النار على زوجَين من أعراق مختلطة يُدعَيان ألفونس مانينغ (23 سنة) وتوني شفين (23 سنة)	27	7/8/1977
نهبَ مصرفاً في مدينة ليتل روك، ولاية أركنسا	27	1977
قاد سيارته إلى مدينة دالاس، ولاية تكساس، واشترى بندقية من نوع ريمنغتون 30.06	27	1977
نهبَ مصرفاً في مدينة كولومبوس، ولاية أوهايو	27	فبراير 1978
قتلَ جيرالد غوردون (42 سنة) وأصاب وليام آش (30 سنة) بجروح في سانت لويس، ولاية ميسوري (ببندقية ريمنغتون 700)	27	10 أغسطس 1977
قتلَ جوني بروكشاير (22 سنة) وأصاب رفيقته البيضاء البشرة جوي وليامز (23 سنة) بجروح (أصابتها بالشلل) في مدينة أتلانتا، ولاية جورجيا	28	فبراير 1978
جرَحَ لاري فلينت ناشر مجلة "هاستلر Hustler" وأصابه بالشلل في مدينة لورينسفيل، ولاية جورجيا (ببندقية طراز 44)	28	6 مارس 1978
أصاب جين ريفيس بجروحٍ (تعافى منها لاحقاً) (ببندقية طراز 44)	28	6 مارس 1978
سرقَ أحد بنوك مدينة لويفيل، ولاية كنتاكي	28	1978
سرقَ أحد بنوك مدينة أتلانتا، ولاية جورجيا	28	1978
أطلق الرصاص على زوجَين من أعراق مختلفة في "بيتزا هات"، وقتل براينت تاتوم، وأصاب خليلته نانسي دايان هيلتون (18 سنة) بجروح	28	29/7/1978

الحدث	العمر	التاريخ
سرقَ أحد بنوك مدينة مونتغمري، ولاية ألاباما	28	1978
عاد إلى ألاباما والتقى أنيتا كاردِن (16 سنة) في متجر لبيع البوظة، وصارا يتواعدان	28	1978
تزوج فرانكلين أنيتا في محكمة مقاطعة ديكالب (أتلانتا، جورجيا)	29	1979
أطلق النار على هارولد ماكلِفر (29 سنة) فأرداه قتيلاً في مطعم تاكو بِل في مدينة دورافيل، ولاية جورجيا (ببندقية 30.30)	29	12/7/1979
قتل ريموند تايلور في مطعم برغر كنج في مدينة فولز تشيرش، ولاية فرجينيا (ببندقية 30.30)	29	18/8/1979
ولادة المولود الأول له - مدينة مونتغمري، ولاية ألاباما	29	25/8/1979
أطلق النار على زوجَين من أعراق مختلطة: جيسي تايلور (42 سنة) وماريان فيرا بريسيت (31 سنة) فأرداهما قتيلين في مدينة أوكلاهوما، ولاية أوكلاهوما	29	21/10/1979
خانَ زوجته وقتل عاهرة تُدعى مرسيدس ماسترز (15 سنة) بعد أن أقرت له بارتباطها بعلاقات مع أشخاص ذوي أعراق مختلطة	29	5/12/1979
قتل رجلاً أسود البشرة يُدعى لورانس ريس (22 سنة) في أحد مطاعم وجبات الدجاج المقلي السريعة	30	8/1/1980
قتلَ ليو توماس واتكينز (19 سنة) عبر زجاج واجهة متجر بقالة في أحد مراكز إنديانا بوليس التجارية (ببندقية 30.30)	30	14/1/1980
انفصل فرانكلين عن زوجته أنيتا	30	إبريل 1980
قتلَ الطالبة المُستركِبة (المتنقلة بالمجان) ريبيكا بيرغستورم في متنزه ميل بلوف، ولاية ويسكونسن	30	2/5/1980
أطلق النار على زعيم الحقوق المدنية فيرنون جوردن في مدينة فورت واين، ولاية إنديانا	30	29/5/1980
قتل ابني العم داريل لين (14 سنة) ودانتي إيفانز براون (13 سنة) في سينسيناتي، ولاية أوهايو	30	8/6/1980
قتل آرثر سماذرز (22 سنة) وكاثلين ميكولا (16 سنة) في مدينة جونستاون، ولاية بنسلفانيا	30	15/6/1980
سرق بنكاً في مدينة برلنغتون، ولاية كارولينا الشمالية	30	24/6/1980
قتل المسافرتَين على الطريق نانسي سانتوميرو (19 سنة) وفيكي دوريان (26 سنة) في مدينة بوكاهونتاس، ولاية فرجينيا الغربية (بمسدس روجر 44)	30	25/6/1980

الحدث		التاريخ
قتل تيد فيلدز (20 سنة) وديفيد مارتن (18 سنة) في مدينة سولت ليك سيتي، ولاية يوتا (ببندقية طراز مارلين ليفر أكشن)	30	20/8/1980
اعتُقِلَ فرانكلين في مدينة فلورنسا، ولاية كنتاكي، ثم فرّ من مخفر الشرطة	30	24/9/1980
اعتُقل مُجدداً في مدينة ليكلاند، ولاية فلوريدا	30	28/10/1980
تم تسليمه إلى مدينة سولت ليك سيتي، ولاية يوتا، واستُدعي إلى المحكمة بتهمة قتل تيد فيلدز وديفيد مارتن	30	7/11/1980
محاكمة اتحادية - أُدين بانتهاك الحقوق المدنية لفيلدز ومارتن، وحُكِمَ عليه بالسجن مدى الحياة مرتَين متتاليتَين	31	4/3/1981
محاكمة على مستوى الولاية - أُدين بقتل فيلدز ومارتن، وصدر بحقه حُكمان بالسجن مدى الحياة بسبب هيئة المحلفين التي اختلفت بشأن تطبيق عقوبة الإعدام عليه (حاول الهروب ولكن تم اعتقاله مُجدداً وأُرسلَ إلى المركز الطبي للسجناء الفيدراليين في مدينة سبرينغفيلد، ولاية ميسوري	31	2/6/1981
نُقِلَ إلى سجن أمريكي في مدينة ماريون، ولاية إيلينوي، ليبدأ قضاء عقوبة السجن مدى الحياة	32	31/1/1982
تعرّض للطعن 15 مرة في رقبته وبطنه من قِبل مجموعة من الأمريكيين من أصل أفريقي	32	3/2/1982
محاكمة اتحادية - برّأته من انتهاك الحقوق المدنية لفيرنون جوردن	32	17/8/1982
اعترف اعترافاً جزئياً بإطلاقه الرصاص على لاري فلينت	33	1983
اعترف بإطلاق النار على لاري فلينت وتفجير منزل موريس أميتاي في واشنطن العاصمة	33	1983
اعترف بقتل ريبيكا بيرغستورم وسانتوميرو ودوريان وتفجير كنيس تشاتانوغا (حُوكم في يوليو وحُكم عليه بالسجن لمدة 15-20 عاماً بتهمة التفجير، و10-6 أعوام لحيازته متفجرات)، وجريمتا القتل المعروفتان باسم "قوس قزح"، وإطلاق النار على ألفونس مانينغ (23 سنة) وتوني شفين (23 سنة)	34	1/3/1984
أُدين في ويسكونسن بقتل مانينغ وشوين. وحُكم عليه بالسجن مدى الحياة مرتَين متتاليتَين	36	14/2/1986
اعترف بقتل تيد فيلدز وديفيد مارتن في مدينة سولت ليك سيتي، ولاية يوتا	40	19/8/1990

أُدين جاكوب بيرد بتهمتَي قتل من الدرجة الأولى لجريمتَي قتل سانتوميرو ودوريان، على الرغم من اعتراف فرانكلين بالجريمتَين	43	4/6/1993
اعترف فرانكلين بقتل جيرالد غوردون	44	1994
اعترف بإطلاق النار على فيرنون جوردن	45	1995
أخبرَ ديبورا ديكسون، مراسلة محطة دبليو سي سي الإذاعية في مدينة سينسيناتي، أنه قتل سانتوميرو ودوريان؛ لأنهما "كانتا تواعدان رجلَين أسودَي البشرة"	46	11/18/1996
أُدين بقتل جيرالد غوردون وحكم عليه بالإعدام	47	27/2/1997
اعترف بقتل ريموند تايلور	47	10/3/1997
اعترف بقتل آرثر سماذرز وكاثلين ميكولا. واعترف في وقت لاحق بقتل داريل لين ودانتي إيفانز براون	47	13/4/1997
أُدين بقتل داريل لين ودانتي إيفانز براون، وحُكِمَ عليه بالسجن لمدة تتراوح مابين 40 عاماً ومدى الحياة	47	22/10/1997
اعترف بقتل وليام تاتوم، والتمسَ حُكمَين متزامنَين بالسجن مدى الحياة ونالهما (أحدهما للقتل والآخر للسرقة)	48	1998
اعترف بقتل العاهرة مرسيدس ماسترز وهارولد ماكِلفِر	48	مارس 1998
اعترف بقتل جوني بروكشاير في عام 1978	49	1/11/1999
أُعيدت محاكمة جاكوب بيرد بتهمة قتل فيكي دوريان ونانسي سانتوميرو، وأُدين بقتلهما	50	2000
طلبت محكمة المقاطعة الأمريكية من ولاية ميسوري إطلاق سراح فرانكلين أو إعادة محاكمته بتهمة قتل جيرالد غوردون	54	2004
علّقَ قاضٍ اتحادي تنفيذ عقوبة الإعدام في ولاية ميسوري بسبب مخاوف تتعلق بالحقنة القاتلة	56	2006
ألغت محكمة الاستئناف الفيدرالية قرار محكمة المقاطعة الأمريكية	57	يوليو 2007
قررت المحكمة العليا الأمريكية أن طريقة الإعدام الحالية (الحقنة القاتلة) جائزة دستورياً	58	2008

| رفضت المحكمة العليا الأمريكية الاستماع إلى قضية الحقنة القاتلة في ولاية ميسوري "كليمونز ضد كروفورد"، إذ وجدت أن استخدام الحقنة القاتلة جائز، وذكر المدعي العام في ولاية ميسوري أن عمليات الإعدام ستبدأ من جديد | 60 | 2010 |
| أُعْدِمَ بالحقنة القاتلة في ولاية ميسوري | 63 | 2013 |

فـور اعتقـال فرانكلـين، أصبحـت قصتـه معروفـة للقـاصي والـداني لـدى اليمـين المُتطـرف. فقـد ألّـفَ وليـام بيـرس، الـذي كان يمثل القـوة الفكريـة وراء تأسيس حزب روكويـل النـازي الأمريكـي، وربمـا سيصبح أفضـل شخصية معروفـة ومؤثـرة في اليمـين المتطـرف عبـر المحيـط الأطلـسي، روايـة بعنـوان «الصيـاد» (*Hunter*)، اسـتلهمها مـن حيـاة جوزيـف بـول فرانكلـين. ولقـد شجّعت روايـة الصيـاد حركـة اليمـين المتطـرف، عـن طريـق شخصيتهـا الخياليـة التـي تمثـل فرانكلـين، عـلى اللجـوء إلى عنـف الذئـاب المنفـردة عـلى غـرار النمـوذج الـذي ابتكـره فرانكلـين بـدلاً مـن الانتظـار عبثـاً عـلى أمـل أن يصبـح السـكان البيـض أغلبيـة ثوريـة، بالضبـط كـما افتـرض في روايتـه السـابقة والأشـهَر «يوميـات تيرنـر» (*The Turner Diaries*)[5]. وفي ظـل هـذا الزخـم، أصبـح نمـوذج فرانكلـين لعنـف الذئـاب المنفـردة دوليـاً. فقـد تبنّـى اثنـان مـن القتلـة السـويديين - أحدهـما يُدعـى جـون أوسـونيوس (لايرزمـان) والآخـر بيـتر مانغـز - تكتيـكات فرانكلـين عـن قصـد منهـما[6].وعندمـا اعتُقـل فرانكلـين، ثبـت أنه لا يقـلُّ تناقضـاً وتخبطـاً عـما كان عليـه أيـام الحـزب النـازي الأمريكـي. والواقـع أنـه حتـى أثـار غضب السـجناء البِيـض العنصريـين وحفيظتهـم لدرجـة أنه حطم رقمـاً قياسيـاً

---

5. Andrew) William Pierce (MacDonald ,The Turner Diaries) Hillsboro ,WV :National Vangaurd Books .(1976 ,Andrew) William Pierce (MacDonald ,Hunter) Hillsboro ,WV :National Vangaurd Books.(1989 ,).

6. Gellert Tamas, "De enslige gale–om John Ausonius, Peter Mangs og Anders Behring Breivik", Samtiden 121, no. 3 (2013): 64-73; Mattias Gardell, "Urban Terror: The Case of Lone Wolf Peter Mangs", Terrorism and Political Violence 30, no. 5 (2018): 793-811; Cf. Jeffrey Kaplan, "Terrorism in Sweden: The Threat from the Right", Trends (2021), https://trendsresearch.org/insight/terrorism-in-sweden-the-threat-from-the-right/.

في عـدد المـرات التـي نجـا فيهـا مـن جـروح الطعنـات التـي تلقاهـا عـلى يـد السـجناء الآخريـن. وبحلـول عـام 2010، كان قـد تحمَّـل مـا يكفـي وقبِـل عـن طيـب خاطـر عقوبـة الإعـدام التـي اسـتحقها عـن جـدارة. ونُفِّـذ حُكـم الإعـدام في ولايـة ميسـوري في نوفمبر عام 2013 [7].

اليمين الأوروبي-الأمريكي المتطرف بعد فرانكلين

بـدأت ثمانينيـات القـرن العشريـن بقـدرٍ كبيـر مـن التفاؤل تجـاه بيئة اليمين المتطـرف. كانـت الهويـة المسـيحية في الولايـات المتحـدة تشـهد رواجـاً كبـيراً، إذ شـاع التأويـل المُسـتند إلى الإنجيـل، آنـذاك، بالضبـط كـما شـهدت رواجـاً في القـرن الثامـن عـشر، إذ سـاعد كتـاب «آثمـون بـين يدَي إلـه غاضـب»- Sinners in the Hands of an Angry God، لجوناثـان إدواردز عـلى إطـلاق شرارة أول صحـوة كـبرى [8]. بلغـت الاشـتراكية الوطنيـة الصريحـة في الولايـات المتحـدة ذروتهـا المشـكوك فيهـا في ستينيات القـرن العشرين، تحـت القيـادة الآسِـرَة للقائـد جـورج لينكـولن روكويـل الـذي تصـدَّرَ حزبـه النـازي الأمريـكي عناويـن الصحـف وجعـل مـن روكويـل شـخصية مشـهورة إعلاميـاً. فقـد أجـرى معـه أليكـس هيـلي مؤلـف روايـة «جـذور: ملحمـة عائلـة أمريكيـة» Roots: The Saga of an American Family مقابلـةً شـخصية نُـشرت عـلى صفحـات إحـدى المجـلات القوميـة، ودُعـي إلى أن يُسـتضاف محـاضراً مدفوع

---

7. Paul Vitello, «White Supremacist Convicted of Several Murders Is Put to Death in Missouri,» New York Times, November 20, 2013, https://www.nytimes.com/2013/11/21/us/joseph-paul-franklin-executed-in-missouri.html

8. عن الهوية، راجع:

Michael Barkun, Religion and the Racist Right:The Origins of the Christian Identity Movement, Rev. ed. (Chapel Hill: University of North Carolina Press, 1997). Cf. Jeffrey Kaplan, «The Context of American Millenarian Revolutionary Theology: The Case of the ‹Identity Christian› Church of Israel,» Terrorism and Political Violence 5, no. 1)1993): 30-82. The Edwards sermon that launched the First Great Awakening is available at https://digitalcommons.unl.edu/cgi/viewcontent.cgi?article=1053&context=etas.

الأجــر في جامعـات شـتى في جميــع أنحــاء الدولــة.[9] وبحلــول ثمانينيـات القـرن العشريـــن، تفرّقَ جمـع أتبـاع الاشـتراكية الوطنيـة في عـدد مـن التجمعـات التـي أطلـق عليهـا روجـر غريفـن اسـم «مجموعـات مُصغـرة» تحـت لـواء مجموعـة مـن صغـار القـادة في شـتى أرجـاء الدولة.[10] وشـاعت الأودِينية Odinism، وهـي الشـكل العنـصري للوثنيــة الجرمانيــة المعـاصرة (الأسـاترو Ásatrú) التـي يعبُـد أتباعهـا مجموعــة الآلهــة النورديـة/الجرمانيــة، بــين الشــباب، ولا ســيما راكبــي الدراجــات البخاريـة والقابعـين خلـف قضبـان السـجون.[11] وكانـت جماعـات حليقـي الـرؤوس، بموسيقاهم وأزيائهـم الرسـمية وأحذيتهـم الطويلـة العنـق المعدنية الأطـراف، تشـق طريقهـا في المــدن والبلــدات الأمريكيــة، لكــن تلـك الجماعـات كانـت محـدودة

9. Frederick J. Simonelli, American Fuehrer: George Lincoln Rockwell and the American Nazi Party (Urbana: University of Illinois Press, 1999). From the Commander himself: George Lincoln Rockwell, In hoc signo vinces (Arlington, Va.: World Union of Free Enterprise National Socialists, 1960), https://archive.org/stream/LincolnRockwellGeorge/LincolnRockwellGeorge-InHocSignoVinces_djvu.t

10. Roger Griffin, "From Slime Mould to Rhizome: An Introduction to the Groupuscular Right", Patterns of Prejudice 37, no. 1 (2003): 27-50.

11. Mattias Gardell, Gods of the Blood: The Pagan Revival and White Separatism (Durham: Duke University Press, 2003). For an insider introduction, see Else Christensen, "Odinism—Religion of Relevance", The Odinist 82 (1984). On the Ásatrú/Odinist divide, Jeffrey Kaplan, Radical Religion in America: Millenarian Movements from the Far Right to the Children of Noah (Syracuse, N.Y.: Syracuse University Press, 1997), ch. 3.

الأعداد على أرض الواقع في الولايات المتحدة[12]. ولقد كانت بيئة اليمين المُتطرف في أمريكا زاخرة بدوائر انتخابية تجمعها قضية واحدة، مثل فقدان المزارعين أراضيهم على خلفية أزمة المزارع أوقات الركود الزراعي، ومن المؤمنين بأن العملة الأمريكية ومنظومة الضرائب الأمريكية كانتا احتياليتَين، ومن منكري المحرقة النازية الذين يصرون على أنها لم تحدث (ولكن، كان ينبغي لها أن تحدث)، ومن مُكافحي نهاية العالَم الذين أقاموا جيوباً ريفية للصمود في مواجهة كارثة نهاية العالم الوشيكة، وغيرها الكثير من القضايا[13].

---

12. كان حليقو الرؤوس مرغوباً فيهم كثيراً في الثمانينيات بوصفهم وقود مدافع محتملًا لقادة اليمين الراديكالي الراسخ. وقد قامت المقاومة الآرية البيضاء لتوم ميتزجر (WAR) بأكبر قدر في هذا المجال. تم تخليد جهوده في فيلم السيرة الذاتية المقنع بشكل رقيق «American History X». مقتل ميتزجر المؤثر على يد حليق الرأس في بورتلاند بولاية أوريغون، أدى إلى رفع دعوى مدنية ضد الحرب من قبل مركز قانون الحاجة الجنوبي (SPLC) التي أثبتت أنها مكلفة لميتزجر والمنظمة. قام ريتشارد بتلر بتجربته أيضاً من خلال دعوة حليقي الرؤوس إلى مهرجان الأمم الآرية السنوي وحرق الصليب، لكن أعمالهم، وهم ممثلى اختلطت بشكل سيء مع حشد الهوية المسيحية المضيق. عن ميتزجر ومركز قانون الحاجة الجنوبي، راجع:

Elden Rosenthal, "White Supremacy and Hatred in the Streets of Portland: The Murder of Mulugeta Seraw", Oregon Historical Quarterly 120, no. 4 (2019): 588-605. On Butler, see Meagan Day, "Welcome to Hayden Lake, Where White Supremacists Tried to Build Their Homeland", Timeline, November 4, 2016, https://timeline.com/white-supremacist-rural-paradise-fb62b74b29e0.

عن القوميات الآرية والمشهد بشكل عام انظر:

James Ridgeway, Blood in the Face: The Ku Klux Klan, Aryan Nations, Nazi skinheads, and the Rise of a New White Culture, 1st ed. (New York: Thunder's Mouth Press, 1990); John Pollard, "Skinhead Culture: The Ideologies, Mythologies, Religions and Conspiracy Theories of Racist Skinheads", Patterns of Prejudice 50, no. 4-5 (2016): 398-419.

13. للاطلاع على كوكبة التفوق الأبيض لذلك الزمن، راجع:

Jeffrey Kaplan, «Right Wing Violence in North America,» Terrorism and Political Violence 7, no. 1(1995): 44-95.

ولأخذ لمحة معاصرة عن البيئة، راجع:

James Ridgeway, Blood in the Face : The Ku Klux Klan, Aryan Nations, Nazi Skinheads and the Rise of a New White Culture, Newly rev. and updated 2nd ed. (New York: Thunder›s Mouth Press, 1995). http://www.loc.gov/catdir/enhancements/fy0832/95043138-d.html

اختلـف المشـهد الأوروبي في تلـك السـنوات عـن نظـيره في الولايـات المتحـدة، عـلى الرغـم مـن إقامـة روابـط كان مـن المُقـدَّر لهـا أن تـؤتيَ ثمارهـا في التسـعينيات وتُحْـدِث تحـولاً جذريـاً في الحركـة في القـرن الحـادي والعشريـن[14]. تباينـت الحـركات الأوروبيـة في كل بلـد، لكنهـا اشـتركت في مجموعـة مـن الخصائـص المشـتركة. فقـد كانـت أكـثر علمانيـة بكثـير مـن نظيراتهـا الأمريكيـة، وكانـت تجنـح نحـو الاشـتراكية الوطنيـة بقـدرٍ أكـبر سـواء في الـسر أو في العلـن أو في العلـن أيضـاً. وكانـت ثقافـة حليقـي الـرؤوس الفرعيـة أقـوى بكثـير في أوروبـا، إذ ألهمـت فرقـة إيـان سـتيوارت الموسـيقية المعروفـة باسـم **سكرودرايفر** Skrewdriver عـدداً آخـر، وخصوصـاً في ألمانيا والدول الإسكندنافية[15].

لقـد كان إنكار المحرقـة وتصريحـات معـاداة السـامية شـائعَين في كل مـكان، عـلى الرغـم مـن فرض أحـكام بالسـجن عـلى كل مَـن تُسـول لـه نفسـه تبنّـي خطـاب يثـير الكراهيـة العنصريـة. لكـن النشـاط الحقيقـي في أوروبـا، عـلى النقيـض تمامـاً مـن الولايـات المتحـدة، كان يكمـن في تشـكيل الأحـزاب البرلمانيـة التـي أُجـبرت عـلى كتمـان تصريحاتهـا العامـة بالكراهيـة العنصريـة ومعـاداة السـامية كي يُسـمح لهـا بخـوض الانتخابـات. ومـن بـين هـؤلاء، كان الديمقراطيـون السـويديون نموذجيـين في تطورهـم مـن جماعـة عاشـقة لهتلـر إلى حـزب سياسي أصبـح في القـرن الحـادي والعشريـن في وضـع يسـمح لـه بالمنافسـة عـلى السـلطة، مدفوعـاً بالخـوف مـن الهجـرة[16]. والأكـثر إثـارة للدهشـة حـزبُ الفنلنديـين الأساسـيين أو الفنلنديـين

---

14. Jeffrey Kaplan and Leonard Weinberg, The Emergence of a Euro-American Radical Right (New Brunswick, New Jersey: Rutgters). University Press, 1998

15. John M Cotter, "Sounds of Hate: White Power Rock and Roll and the Neo-Nazi Skinhead Subculture", Terrorism and Political Violence 11, no. 2 (1999): 111-40. Robert Futrell, Pete Simi, and Simon Gottschalk, "Understanding Music in Movements: The White Power Music Scene", The Sociological Quarterly 47, no. 2 (2006): 275-304.

16. Helene Lööw, Country Report Sweden, Strategies for Combating Right-Wing Extremism in Europe, (Gütersloh: Bertelsmann Stiftung, 2009), 425-59.

الحقيقيـين اليمينـي المتطـرف في دولـة فنلنـدا الهادئـة، الـذي شـهد تطـوراً شـمل تغيـير اسـمه، ولمـع نجمـه تحـت قيـادة إعلاميـة المنشأ باسـم «الحـزب الفنلنـدي». وفي انتخابـات عـام 2019 فـاز بـ 39 مقعـداً برلمانيـاً، متخلفـاً عـن حـزب الديمقراطيـين الاشتراكيين الحاكم بمقعدٍ واحد فقط[17].

وبحلـول تسـعينيات القـرن العشريـن، شكّلت جماعـات حليقـي الـرؤوس أساسـاً إشـكالية مـن إشـكاليات إنفـاذ القانـون. ولم تشـكّل شـجارات الشـوارع بـين السـكارى والاشـتباكات بالأيـدي وما شـابه ذلك إلا تهديـداً طفيفـاً للدولـة. وقوبلـت الهجـمات عـلى مسـاكن اللاجئـين التـي يمكـن أن تكـون واسـعة النطـاق في ألمانيـا مـرة أخـرى بالقـوة الكافيـة لاحتـواء الاضطرابـات أو إخمادهـا. وفي النهايـة، اشـتبكت جماعـات حليقـي الـرؤوس كمثـيري الشـغب في ملاعـب كـرة القـدم في معـارك بالأحذيـة والهـراوات، مـا أسفر عن إصابات قلما أدت إلى الوفاة، ولم تمثل تهديداً للحكومة قط.

عـلى النقيـض مـن ذلـك، كان اليمـين الأمريكـي المتطـرف يمتلـك أسـلحة؛ بـل الكثير مـن الأسـلحة التـي تتمتـع بمجموعـة مذهلـة مـن القـدرات الناريـة، عـلاوة عـلى صانعـي السـلاح الذيـن يمكنهـم تعديـل أي شيء وصنـع أسـلحة وفقـاً لمواصفـات محـددة. فقـد كانـت منظمـة «العهـد والسـيف وذراع الـرب» ذات الهويـة المسـيحية الموغلـة الممزوجـة بالإيمـان بـضرورة الصمـود في مواجهـة نهايـة العالـم مُتخصصـةً في تجـارة السـلاح[18]. والأدهـى مـن ذلـك أن عـدداً متزايـداً مـن هـذه الجماعـات المسـلحة أصبحـت ثوريـة صراحـةً، عـلى

---

17. David Arter, "When a Pariah Party Exploits Its Demonised Status: The 2019 Finnish General Election", West European Politics 43, no. 1 (2020): 260-73.

18. للحصول على بيان رائع من الداخل، انظر:

Kerry Noble, Tabernacle of Hate: Seduction into Right-Wing Extremism (Syracuse, NY: Syracuse University Press, 2011).

ولأخذ نظرة عامة:

Jeffrey Kaplan, Encyclopedia of White Power: A Sourcebook on the Radical Racist Right (Walnut Creek: AltaMira Press, 2000), 71-75, 107-10.

الأقــل عـلى المسـتوى الخطـابي. ولقد أعلنـت منظمـة «العهـد والسـيف وذراع الـرب» الحـرب عـلى الولايات المتحـدة[19]، دون أن تـدري كـما هـو واضح أن بيـتر سـيلرز سـبقها إلى هـذا الإعـلان تـاركاً بصمـة أكـبر بمراحـل في شريطـه السـينمائي «الفـأر الـذي زأَرَ» The Mouse That Roared (1959). لكنهـا كانـت مجـرد شـعارات خاوية. نفَّـذت جماعـة Brueders Schweigan (الإخـوان الصامتـون) المنسـوبة إلى روبـرت ماثيـوز، والمشـهورة باسـم «ذي أوردر» The Order وعيدهـا الخطـابي، وشـنت سلسـلة جريئـة مـن السرقـات وجرائـم القتـل بسـيارة مُدرعـة[20]. ومـا زال عضـو جماعـة «ذي أوردر» السـجين ديفيـد لـين يمـارس تأثـيراً في الحركـة بشـعاراته المكونة مـن 14 كلمـة التـي سـمّاها تيمنـاً بعبارتـه الشـهيرة المكونـة مـن 14 كلمـة: «يجـب علينا أن نضمـن وجـود قومنـا وأقراننا وأن نضمـن مسـتقبلاً للأطفـال ذوي البـشرة البيضاء»[21]. واليـوم يـتردد صـدى تلـك الشـعارات في شـتى أركان الحركـة، وسـيُقدر لها أن تكـون **الفكـرة المهيمنة** في بيـان برينتـون تارانت «الاستبدال العظيم» الذي سنتناوله بالفحص لاحقاً في هذه المقالة.

وبعـد ذلـك وقـع حصـار واكـو في عـام 1993. فالغـارة الكارثيـة التـي شُـنّت عـلى مجمـع «طائفـة الشـعبة الداوديـة» وأسـفرت عـن مقتـل 76 رجـلاً وامرأة وطفـلاً عـلى خلفيـة حـرق المنـازل أثـارت صدمـات متعاقبـة في قلوب أنصار اليمين المتطـرف، فضـلاً عـن جماعـات جديـدة تابعـة لحـركات دينيـة ومجموعـة متنوعـة مـن الأشـخاص الذيـن عاشـوا حياتهـم خـارج التيـار السـائد[22]. ومـع ذلـك، لم يشـعر

---

19. للاطلاع على النص الكامل، راجع:

Kaplan ,Encyclopedia of White Power :A Sourcebook on the Radical Racist Right.522-5 ,

20. Kevin Flynn and Gary Gerhardt, The Silent Brotherhood: Inside America›s Racist Underground (New York: Free Press, 1989).

21. The best in-depth study remains Gardell ,Gods of the Blood :The Pagan Revival and White Separatism .Cf .George Michael» ,David Lane and the Fourteen Words «,Totalitarian Movements and Political Religions ,10 no.61-43 :)2009(1 .

22. Catherine Wessinger» ,Deaths in the Fire at the Branch Davidians ‹Mount Carmel :Who Bears Responsibility «?Nova Religio ,13 no.60-25 :(2009) 2 .

أحـد بالتهديـد المبـاشر مثلـما شـعر أنصار اليمـين المُتطـرف، عـلى الرغـم مـن أن الطائفـة الداوودية المنسـوبة إلى ديفيـد كوريـش لا تشـاركهم أيّـاً مـن معتقداتهـم، باستثناء عشقهم الجلي للأسلحة.

لم يكـن جنـون العظمـة هـذا عديـم الأسـاس. فقـد حـذّرت جماعـة «ذي أوردر» الحكومـة الفيدراليـة مـن أن جماعـات صغـيرة ومعزولـة سياسياً مـن اليمـين المتطرف قـادرة، في ظل قيـادة سـليمة، أن تنفِّـذ أعـمال عنـف جسيمة. ومـع أخـذ ذلـك في الاعتبـار، أصبحـت السـلطات الفيدراليـة أكـثر انخراطـاً في مكافحـة التهديـد. في عـام 1985، شـن مكتـب التحقيقـات الفيدرالي غـارة عـلى أحـد أوكـار منظمـة «العهـد والسـيف وذراع الـرب»، ولكـن بحلـول ذلـك الوقت كان سـلوك زعيمها جيمـس إليسـون قـد أقـصى السـواد الأعظم مـن الموالـين للمنظمـة. وعـلى الرغـم مـن «إعـلان عـدم الاستسـلام» الـذي صـدرَ في أوقـات أفضـل[23]، استسـلمت منظمـة «العهـد والسـيف وذراع الـرب» بسرعـة دون إطـلاق رصاصـة واحـدة. وكانـت النتيجـة أسـوأ بكثـير في عـام 1992 عندمـا أحاطت قوة مشـتركة مـن عمـلاء مكتـب التحقيقـات الفيـدرالي والعمـلاء الفيدراليـين بمقصـورة رانـدي ويفـر، أحـد أتبـاع جماعـة الهويـة المسـيحية، في روبي ريـدج، ولايـة أيداهـو. فقـد قُتِلت زوجـة ويفـر وابنـه البالـغ مـن العمـر 11 عامـاً، وكذلـك عميـل فيدرالي، في الواقعـة. أرسـل ويفـر إلى السـجن، ولكـن أطلـق سراحـه لاحقـاً بموجب تسـوية بقيمـة 3.1 مليـون دولار مـن الحكومـة الفيدراليـة[24]. ولقـد تجنبـت جماعـات أخـرى، مثـل منظمـة «الشـعوب الآريـة» التي أسسـها

23. Specifically ,in a 1982 edition of the CSA Journal .For the full text ,see Jeffrey Kaplan» ,The Roots of Religious Violence in America «,in *Misunderstanding Cults :Searching for Objectivity in a Controversial Field* ,ed .Benjamin Zablocki and Thomas Robbins) Toronto :University of Toronto Press.509-478 ,(2001 ,

24. The best book on the incident remains Jess Walter, Every Knee Shall Bow: The Truth and Tragedy of Ruby Ridge and Randy Weaver Family (New York: ReganBooks, 1995). Cf. Betty A Dobratz, Stephanie L Shanks-Meile, and Danelle Hallenbeck, "What Happened on Ruby Ridge: Terrorism or Tyranny?" Symbolic Interaction 26, no. 2 (2003): 31542-. Stephen Labaton, "Separatist Family Given \$3.1 Million from Government", New York Times, August 16, 1995, 1.

ريتشــارد باتلــر، هــذا المصيــر البشــع بالمفاوضــات المســتمرة، دون أي تعــاون حقيقــي، مــع مكتب التحقيقات الفيدرالي[25].

كانــت هــذه الحــالات نموذجيــة، ولكــن كانــت هنــا حــالات أكثــر بكثيــر. فقــد قُتِــلَ المحتــج عــلى الضرائــب غــوردون كال في مواجهــة لــه مــع مكتــب التحقيقــات الفيــدرالي في ولايــة داكوتــا الشــمالية[26]. ولقــد أدت الدعــاوى المدنيــة التــي رفعهــا مركــز قانــون الحاجــة الجنــوبي Southern Poverty Law Center ، الــذي أسســه المحامــي موريــس ديــس، إلى إلحــاق أضرار جســيمة بتلــك المنظمــات في جميــع أنحــاء الدولــة وإغلاقهــا، بمــا في ذلــك منظمــة المقاومــة الآريــة البيضــاء لصاحبهــا تــوم ميتزجــر، والعديــد مــن جماعــات كــو كلوكــس كلان. وفي نهايــة المطــاف، اضطرت منظمــة المقاومــة الآريــة في عــام 2000 إلى إيقــاف أعمالهــا تمامــاً[27]. وحتــى تفجيــر مدينــة أوكلاهومــا عــام 1995، الــذي كان في ظاهــره انتقامــاً جزئيــاً مــن مذبحــة واكــو، انتهــى بــه الأمــر إلى قتــل أطفــالٍ بِيــض في مركــز رعايــة نهاريــة للموظفيــن، وهــي

---

25. للحصول على نسخة مفرطة في الدراما، انظر:

, Dave Hall, Tym Burkey, and Katherine M. Ramsland, Into the Devil›s Den: How an FBI Informant Got Inside the Aryan Nations and a Special Agent Got Him Out Alive (New York: Ballantine Books, 2008).

لأخذ فكرة عن الكسل والفوضى وانعدام الكفاءة التي كانت ديدنهم، راجع:

Rob Balch, "The Rise And Fall Of Aryan Nations: A Resource Mobilization Perspective", Journal of Political and Military Sociology 34, Summer, no. 1 (2006): 81-113.

26. James Corcoran ,*Bitter harvest :Gordon Kahl and the Posse Comitatus :Murder in the Heartland* (New York Viking1990 ,).

27. David Montgomery, "The State of Hate", Washington Post Magazine, November 8, 2018, https://www.washingtonpost.com/news/magazine/wp/2018/11/08/ feature/is-the-southern-poverty-law-center-judging-hate-fairly/. More recently, Dees was removed from the SPLC for corruption. In better times, Morris Dees et al., A Lawyer's Journey: The Morris Dees Story, ABA Biography Series, (Chicago, Ill.: American Bar Association, 2001). For the more prosaic reality, Bob Moser, "The Reckoning of Morris Dees and the Southern Poverty Law Center", The New Yorker, March 21, 2019, https://www.newyorker.com/news/news-desk/the-reckoning-of-morris-dees-and-the-southern-poverty-law-center.

الواقعـة التـي دانتهـا الحركـة نفسـها بشـدة. وفي يـوم التفجيـر ذاتـه، أُعدِمَ ريتشـارد سـنيل، العضـو في منظمـة «العهـد والسـيف وذراع الـرب»، في أوكلاهومـا بعـد أن أُديـن بقتـل صاحـب محـل سـمسرة وضابـط إنفـاذ قانـون أمريـكي مـن أصـل أفريقـي[28]. وسرعـان مـا نُفِّـذ حُكـم الإعـدام بحـق تيـم ماكفـاي، منفـذ عمليـة تفجيـر مدينة أوكلاهوما، شأنه شأن سنيل[29].

كانـت هـذه هـي حالـة المجتمـع اليمينـي المتطـرف الأمريـكي في تسـعينيات القـرن العشريـن الـذي تسـلل إليـه انعـدام الثقـة ثم اليـأس فالقنـوط بعـد أن واجـه ضغوطـاً حكوميـة قويـة، ورفضـاً علنيـاً صريحـاً، وكذلـك بسـبب النجـاح الـذي لم تحققـه الـوكالات الحكوميـة فقـط، وإنمـا حققتـه منظمـات المراقبـة الخاصـة أيضـاً، مثـل رابطـة بَنَـاي بْرِيـث لمكافحـة التشـهير Anti-Defamation League of the B'nai B'rith في التسـلل إلى هـذا المجتمـع المُتطـرف. وعـلى سـبيل المجـاز المثـالي المميـز لتلـك الحقبـة، لـديَّ ضمـن مجموعتـي لقطـة لثلاثـة مـن أتبـاع منظمـة كو كلوكـس كلان في حللهـم الكاملـة وهـم يعرضـون بمنتهى الفخـر أحـد شعـارات رابطـة مكافحـة التشـهير التـي اسـتحوذوا عليهـا. ولكـن، الحقيقـة أن أحدهـم كان يرفـع تقاريـره إلى مكتـب التحقيقـات الفيدرالي، والآخـر كان يعمـل متخفيـاً لصالـح رابطـة مكافحـة التشـهير، أمَّـا الثالـث فقُـدِّرَ لـه أن ينتحـر لاحقـاً[30]. ولقـد شـهدت أوروبـا القليـل مـن أحـداث العنـف القاتلـة مـن الحكومـات ومتطرفي اليمـين التي أمسـت شائعة بشكلٍ متزايد في أمريكا في تلك السنوات.

---

28. Kaplan ,*Radical Religion in America :Millenarian Movements from the Far Right to the Children of Noah.*61-59 ,

29. Lou Michel and Dan Herbeck ,*American Terrorist :Timothy McVeigh & the Tragedy at Oklahoma City* (New York :Avon Books2002 ,).

30. للحصول على معلومات دقيقة، انظر:

Jeffrey Kaplan, "The Anti-Cult Movement in America: An History of Culture Perspective", Syzygy: A Journal of Alternative Religion and Culture 2, no. 3-4 (1993): 267-96.

كانـت هـذه هـي الأجـواء التـي كتـب فيهـا لويـس بيـم عضـو منظمـة كـو كلوكـس كلان في تكسـاس كتابـه «المقاومـة بـلا قيـادة» - Leaderless Resistance [31]. وينسـب بيـم الفضـل في تأليـف كتابـه «المقاومـة بـلا قيـادة» إلى منشـور دعائي مناهض للشـيوعية عـام 1962 مـن تأليـف العقيـد أوليـوس لويـس أمـوس. يقـول بيـم وهـو يشير إلى حالة الحركة التي يُرثى لها.

نظـراً لأن الشـرفاء الذيـن يتآلفـون معـاً في جماعـات أو اتحـادات ذات طابـع سياسي أو دينـي يُطلـق عليهـا زوراً وبهتانـاً اسـم «إرهابيـون محليـون» أو «أعضـاء في طوائـف» ويتعرضـون للقمـع، سيصبح مـن الضـروري أن نبحـث عـن طرائـق أخـرى للتنظيـم، أو عـن طرائـق تفتقـر إلى التنظيـم، وفـق مـا تقتضيـه الحـال. وعـلى المـرء أن يضـع نصـب عينيـه أن الحكومـة ليـس مـن مصلحتهـا اجتثـاث كل هـذه الجماعـات. فـلا بـد أن يبقـى القليـل منهـا لضمـان دوام الصراعـات وإيهـام الجماهيـر بـأن أمريكا «بلـد ديمقراطـي حـر» يُسـمح فيـه بالتدافـع. لكن معظـم المنظمـات التـي تمتلـك مقومـات المقاومـة الفاعلـة لـن يُسـمح لهـا بالاستمرار. وكل شـخص يكـون شـديد السـذاجة إلى حـد أنـه يؤمـن بـأن أقوى حكومـة عـلى وجـه البسـيطة لـن تسـحق أي إنسـان يمثل خطـراً حقيقيـاً لتلك القـوة، لا ينبغـي أن يظل ذلك الشـخص نشـطاً، وإنما حريٌّ بـه أن يرجـع إلى بيتـه ويعكف على دراسة التاريخ السياسي [32].

يقـول بيـم إن العضويـة في تلـك الجماعـات التـي تتسـاهل معهـا الحكومـة لها ثمنها، بالنظر إلى القيادة العقيمة واختراق المخبرين لها بكثافة. وعليه:

ففـي نهايـة المطـاف، وربمـا في وقـت أقـرب ممـا يعتقـد السـواد الأعظـم مـن النـاس، سـيتجاوز الثمـن الـذي يدفعـه المـرء مقابـل تلـك العضويـة أي منفعـة

---

31. Louis Beam, "Leaderless Resistance", *The Seditionist*, no. 12 (February 1992).

ويمكن العثور على النص في:

Kaplan, Encyclopedia of White Power: A Sourcebook on the Radical Racist Right, 503-11 and online at https://bit.ly/3PoKnj2

32. Beam, "Leaderless Resistance."

مُتخيّلـة منهـا. ولكـن، خـلال الوقـت الراهـن، تخـدم بعـض الجماعـات الموجـودة فعـلاً غرضـاً مفيـداً، إمّـا للوافـد الجديـد إليهـا الـذي يمكـن تلقينـه أيديولوجيـة الصـراع، أو لوضـع أجنـدة أعمـال إيجابيـة للوصـول إلى المقاتلـين الأحـرار المحتملـين. ومـما لا شـك فيـه أن هـذا الصـراع في معظمـه سرعـان مـا يتحـول إلى مسألـة حـراك فـردي، يتخـذ في سـياقه كل فـرد قـراراً خاصـاً في قـرارة نفسـه بالمقاومـة... بـأي طريقة تقتضيها الضرورة[33].

لقـد كان تحليـل بيـم لحركـة اليمـين المتطـرف دقيقـاً بالقـدر الكـافي، بيـد أنه لم يكـن أول مَـن لاحـظ فاعليـة منهـج الذئـاب المنفـردة في الإرهـاب. لقـد توصّـل جوزيـف بـول فرانكلـين قبـل غيره إلى هـذا الاستنتاج. وقـدّم دان بـوروس المعاصـر لفرانكلـين، وهـو أيضـاً عضـو في الحـزب النـازي الأمريكـي، الحجـة ذاتهـا. ولكـن، على عكـس فرانكلـين، لم تسـنح الفرصـة قط لبـوروس لتحويـل معتقداتـه إلى أفعـال على أرض الواقع.

وبعـد فـترة وجيـزة مـن مقتـل جـورج لينكـون روكويـل زعيـم الحـزب النـازي الأمريكـي على يـد رفيـق اشتراكـي وطنـي لـه، واجهَ آيـه إم روزنتـال، مراسـل صحيفـة نيويـورك تايمـز، بـوروس بدليـلٍ على أنـه يهـودي لم يحتفـل بعيـد بلوغـه عامـه الثالـث عشـر فقـط، وإنمـا على أنـه أيضـاً ابـن قائـد جوقـة الترانيـم في كنيـس يهـودي في نيويـورك. وانتحـر بـوروس إذ لم يسـتطع أن يتحمـل الخـزي الـذي كان سـيتعرض لـه في دوائـر الحركـة[34]. ويستنـد الفيلـم الهوليـودي «المؤمـن» The Believer بشـكل عام إلى حياة بوروس ووفاته.

لقـد كان فرانكلـين في واقـع الأمـر قاتـلاً عديـم الكفـاءة - فقـد نجا مـن بـين يديـه جـوردان وفلينـت وآخـرون - وكان إرهابيـاً رديئـاً حتـى أنه لم ينسـب جرائمـه

---

33. Ibid.

34. A .M .Rosenthal and Arthur Gelb ,One More Victim) New York :New American Library1967 ,).

قـط إلى القضيـة الرئيسـية. ورأت الشرطـة وعمـوم النـاس أن أعمـال عنفـه محليـة حصـراً وجنائيـة بطبيعتها. ولقـد سـمح لـه ذلـك بـأن يتحـرك في شـتى أنحـاء البلـد، وأطـال بقـاءه بوصفـه قاتـلاً نشـطاً، لكـن أثـره علـى الحركـة أو الأمـة كلهـا تجلـى أكثـر مـا تجلـى بعـد وفاتـه. لكـن هـذا الأثـر حقيقـي جـداً، والفضـل في ذلـك يرجـع إلى تصويـر وليـام بيـرس الخيـالي لمسـيرة فرانكلين في روايتـه الصيّـاد؛ وهـو الكتـاب الـذي اسـتهلّ موجة من الخيال البشـع المثيل في أوسـاط اليمين المتطرف[35].

وخلاصـة القـول أنـه مـع تحـول مفهـوم المقاومـة بـلا قيـادة إلى ظاهـرة الذئـاب المنفـردة في السـنوات الأخيـرة للقـرن العشريـن أمسـت الظاهـرة التـي بـدأت بوصفهـا شـكلاً مـن أشـكال اليـأس، كـما جـاء علـى لسـان الرئيـس أوبامـا، أخطـرَ تهديـدٍ علـى الإطـلاق تواجهـه الولايـات المتحـدة منـذ هجـمات الحـادي عـشر مـن سـبتمبر[36]. وكان هـذا يعنـي أن الهجـمات الإرهابيـة - إذا اسـتثنينا بعـض الحـالات مثـل تفجيـر مدينـة أوكلاهومـا عـام 1995- كان لا بـد أن تتقلـص مـن حيـث حجمهـا وتُنفَّـذ بأقـل قـدر مـن التدريـب وأقـل كميـة مـن الأسـلحة المُرتجلة. وحتى تفجيـر مدينـة أوكلاهومـا كان نتـاج إلهـام أكـثر مـن كونـه محصلـة تدريـب وتقنيـة، إذ نُفِّـذَ بشـاحنة مُحمَّلـة بسـماد نـترات الأمونيـوم الـذي كان مـن السـهل الحصـول عليـه بشكلٍ قانونـي، بينما كانت الشاحنة إحدى شاحنات شركة رايدر المُستأجرة[37].

---

35. Andrew) William Pierce (MacDonald ,Hunter) Hillsboro ,WV :National Vangaurd Books.(1989 ,
On the literary genre ,Jeffrey Kaplan ,Apocalypse ,Revolution and Terrorism :From the Sicari to
the American Revolt against the Modern World) London: Routledge2019) ,) ch .2 .Jeffrey Kaplan,
»America's Apocalyptic Literature of the Radical Right «,International Sociology ,33 no:(2018) 4 .
22-503.

36. "Obama says 'Lone Wolf Terrorist' Biggest U.S. Threat," Reuters, August 17, 2011, https://reut.
rs/2Esj6rA

37. Edward Tabor Linenthal ,The Unfinished Bombing :Oklahoma City in American Memory
)Oxford ;(New York :Oxford University Press 2001 Lou Michel and Dan Herbeck ,American
Terrorist :Timothy McVeigh & the Tragedy at Oklahoma City) New York :Avon Books2002 ,).

على الرغم من هذه النجاحات النادرة، فقد كانت هجمات الذئاب المنفردة في القرن العشرين عقيمة إلى حد كبير، وأسفرت أساساً عن سجن الذئاب المنفردة المُفترضة. قد لا يُتاح لنا مثالٌ أفضل من جبهة التحرير الوطنية الاشتراكية بزعامة جوزيف توماسي في ستينيات القرن العشرين. فقد كان توماسي استراتيجياً ذا بصيرة نافذة وخطيباً مفوهاً. وقد اختزل شعارُه «صلّوا لأجل النصر لا لنهاية المذبحة» ببراعةٍ أحلامَ أبناء الألفية التي راودت الموالين لجبهة التحرير الوطنية الاشتراكية. لقد كان توماسي هو الذي احتج بأن حلم الحركة بجمهور أمريكي سيتحول في يوم من الأيام إلى أغلبية ثورية موالية لجبهة التحرير الوطنية الاشتراكية، ما هو إلا مجرد حلم لا أكثر ولا أقل. ورأى بدلاً من ذلك أن المستقبل ينتمي للقليلين الذين يجدون في أنفسهم الجرأة والالتزام الكافيَين «لتحمُّل المسؤولية والمشقة» وحمل السلاح بأنفسهم. وبالفعل، فقد حمل اثنان من قادة جبهة التحرير الوطنية الاشتراكية السلاح، وهما ديفيد راست وكارل هاند، وآل بهما المآل إلى السجن لمدة طويلة.

لكن جيمس ميسون، الذي يُعدُّ اليوم صانع القرار من وراء الكواليس للجماعات الإرهابية الموالية لجبهة التحرير الوطنية الاشتراكية في أمريكا، تفادى هذا المصير، وكتب قصتهما على صفحات مجلة «سيدج!-!Siege» التابعة للجبهة، والتي نُشرت لاحقاً على شكل كتاب[38].

وفي مطلع القرن الحادي والعشرين، اكتسبت هجمات الذئاب المنفردة أولوية عظيمة، ليس لدى اليمين المتطرف فقط، وإنما لدى المتشددين

---

38. لمزيد من التفاصيل انظر:

Jeffrey Kaplan, "Real Paranoids Have Real Enemies: The Genesis of the ZOG Discourse in the American National Socialist Subculture," in Millennialism, Persecution and Violence, ed. Catherine Wessinger (Syracuse: Syracuse University Press, 2000), 299-322.

ولمناقشة أدق انظر:

George Michael, Lone Wolf Terror and the Rise of Leaderless Resistance (Nashville, TN: Vanderbilt University Press, 2012), 42- 3. Cf. James Mason, Siege! (Denver, CO: Storm Books, 1992).

الإسلاميين والمتطرفين اليهود في إسرائيل، أمثال إيجال عامير الذي اغتال رئيس الوزراء إسحاق رابين عام 1995 [39]، ولدى آخرين كُثُرٍ حول العالم، وثمة قصة في هذا السياق.

الذئاب المنفردة بوصفها نجومَ بثٍّ تلفزيوني

عندما ظهر مفهوم «المقاومة بلا قيادة» لأول مرة في عام 1997، كان نظام التشغيل Windows 95 في طورٍ جعل شبكة الإنترنت متاحة لأعداد أكبر فأكبر من الناس، لكن لم يكن له تأثير كبير في اليمين المتطرف الأمريكي. وسيأتي ذلك التأثير قريباً بما فيه الكفاية، ولكن حتى كلانسمان لويس بيم لم يكد يتخيل ما سيحققه عالم الإنترنت في القرن الحادي والعشرين.

أندرس بريفيك الذي يمثِّل هجومُه عام 2011 في النرويج جسراً بين نموذج فرانكلين لإرهاب الذئاب المنفردة وعصر وسائل التواصل الاجتماعي الحالي، هو الصورة الرمزية الحديثة للذئب المنفرد القاتل الشاب في عصر الإنترنت. غالباً ما كان بريفيك يقارَن بجوزيف بول فرانكلين أكثر من مقارنته بمفجر الجامعات والطائرات، ثيودور «تيد» كازينسكي، الذي كان نشطاً لأكثر من عقدَين في الولايات المتحدة [40]. ومع ذلك، فإنهما لا يختلفان إلا قليلًا. كان كازينسكي ذئباً منفرداً حقيقياً، يعمل من كوخ مكون من غرفة واحدة في البرية. لقد عاش في عزلة شديدة لدرجة أنه لم ينكشف سره إلا عندما تعرَّف شقيقه، بطريق

---

39. Ehud Sprinzak, Brother against Brother: Violence and Extremism in Israeli Politics from Altalena to the Rabin Assassination (New York, NY: Free Press, 1999).

40. Bart Schuurman et al., "End of the Lone wolf: The Typology That Should Not Have Been", Studies in Conflict & Terrorism 42, no. 8 (2019): 774.

الصدفـة، عـلى خـط يـده ووشى بـه إلى مكتـب التحقيقـات الفيـدرالي[41]. كان مفجـر الجامعـات والطائـرات، شـأنه شـأن تشـارلز مانسون وطائفتـه، مخلوقـاً مـن مخلوقـات مـا قبـل الإنترنـت في سـتينيات القـرن المـاضي. كان نظـام معتقـدات كازينسـكي الجديـد شـديد الخصوصيـة، لدرجـة أنـه لم يتبعـه سـوى عـدد قليـل مـن الأتبـاع المتناثرين الذين لم يكن لديه أي اتصال بهم على الإطلاق.

وعـلى النقيـض مـن ذلـك، كان بريفيـك طفـلاً في عـصر الإنترنـت ومسـتهلكاً مهووسـاً بالعديـد مـن مواقـع الويـب المناهضة للهجـرة مثل The Gates of Vienna، التـي تحتـل كثيراً مـن غـرف الدردشـة العنصريـة. وحتـى لـو ألقينـا نظـرة سريعـة عـلى بيانـه الكبـير، لوجدنـاه عبـارة عـن انتحـالٍ قائـم عـلى القـص واللصـق لكتابـات كثيريـن آخريـن، تـم تجميعهـا معـاً في حزمـة مـن شـأنها أن تُربـك طالبـاً جامعيـاً في عامـه الأول لم يتعلـم بعـدُ معنـى مصطلح «الانتحـال»[42]. كان كازينسـكي ذئبـاً منفـرداً حقيقيـاً، وكانـت كتاباتـه، التـي ألفهـا في عزلـة تامـة، مرتبطـة بـه وتخصـه عـلى نحـو فريـد. وأمَّـا بريفيـك، الـذي كان يتـصرف بمفـرده، فكان مخلوقـاً لبيئـة داعمـة عـبر

<hr>

41. انظر بالخصوص:

the Feral House publication Theodore J Kaczynski, Technological Slavery: The Collected Writings of Theodore J. Kaczynski, Aka" The Unabomber" (San Francisco: Feral House, 2010).

ولدراسة ذات منزع أكادِمي، انظر:

Alston Chase, "Harvard and the Making of the Unabomber," Atlantic Monthly 285, no. 6 (2000): 41-60.

42. بعد 2011، مـا عـاد مِكـن حضـور مؤقـر أكادِمـي أوروبي مـن دون الاطلاع عـلى أوراق عـدة تـروي، بشـكل ممـل، أفكار بريفيك وأعماله. أما الأعمال الصحفية فأغزر مادةً على هذا الصعيد. للاطلاع على تشكيلةٍ منتقاة، انظر:

Baage Borchgrevink, A Norwegian Tragedy: Anders Behring Breivik and the Massacre on Utøya (Cambridge, UK: Polity Press, 2013). Unni Turrettini and Kathleen M. Puckett, The Mystery of the Lone Wolf Killer: Anders Behring Breivik and the Threat of Terror in Plain Sight, First Pegasus Books Cloth Edition (New York: Pegasus Crime, an imprint of Pegasus Books LLC, 2015). Raffaello Pantucci, "What Have We Learned about Lone Wolves from Anders Behring Breivik?" Perspectives on Terrorism 5, no. 5/6 (2011): 27-42. Sindre Bangstad, Anders Breivik and the Rise of Islamophobia (London: Zed Books Ltd., 2014).

الإنترنت غذَّت تخيلاته وإحساسه بالمهمة. ويمكن القول إنه لولا هذا المجتمع من المؤمنين الحقيقيين، لما تصرَّف بريفيك على ذاك النحو، وربما لم يتبنَّ نظام المعتقدات الذي أدى إلى عنفه في المقام الأول.

إن انتشار الرفاق عبر الإنترنت هو ما يميز حقاً مفهوم المقاومة بلا قيادة في عام 1997 عن أفعال الذئاب المنفردة في القرن الحادي والعشرين. لكن ثمة أشياء أكثر من ذلك تميزه أيضاً، حيث تلقَّى بريفيك الرعاية من بيئة داعمة كبيرة، ولكن في النهاية حدثت أفعاله في عزلة غاضبة. في الواقع، لم يرَ أحدٌ ما حدث، باستثناء الأهداف والإرهابي وفي النهاية الشرطة. أمَّا في أيامنا هذه، فإن الذئاب المنفردة تصطحب مجتمعها معها، مما يسمح لهم، عبر سحر الوسائط التي تُبثّ، بالمشاركة في المذبحة، ومن ثم يتم تشجيعهم على القيام بدور نجم مماثل. في معظم الحالات، يتم دعم الحدث بالصور وتضخيمه بالكلمات في شكل بيانات، والتي سيقتبسها الإرهابي الذئب المنفرد التالي في خطبته الطويلة (ثمة نُدرة حتى الآن في الذئبات المنفردات)[43] التي تلي الحدث.

هناك عنصر أساسي آخر يميِّز هجمات الذئاب المنفردة اليوم عن تلك التي حدثت من قبل؛ ألا وهو عولمة ما يُدعَى بشكل مضلِّل إلى حد ما «القومية البيضاء». إن فكرة القبيلة البيضاء العالمية ليست جديدة، لقد سمعتم عنها في خمسينيات القرن العشرين وما بعدها في جنوب أفريقيا، وتبنَّاها اليمين

---

43. كان هناك عدد قليل منهن، وكانت أبرزهن على الإطلاق شيلي شانون التي أطلقت الرصاص على أحد مقدمي خدمات إجهاض النساء، ويُدعى جورج تيلر. وسبق أن اضطلعتُ بعملٍ ميداني موسَّع بالتعاون مع السيدة شانون قبل أن تقترف جريمتها، وكنت على اتصال بها من السجن بعد ذلك، وهو الأمر الذي كان إشكالياً من وجهة نظر وزارة العدل. لقد ارتبطت شانون بأيديولوجية جيش الرب، ولكن شأنها شأن جميع نشطاء جيش الرب الذين يهمون بارتكاب أعمال عنف، قطعت اتصالها بالجماعة، وارتكبت جريمتها متأسِّية بالذئاب المنفردة في ظل بيئة داعِمة تُهلل لها من بعيد.

Jeffrey Kaplan, "Absolute Rescue: Absolutism, Defensive Action and the Resort to Force," Terrorism and Political Violence 7, no. 3 (Autumn 1995 1995): 128-63.

العنصري بدرجة محدودة منذ السبعينيات فصاعداً. ولكن كان يتم إبلاغ أي شخص يقوم بعمل ميداني بين هذه المجموعات بعبارات لا لبس بها، في ألمانيا والدول الإسكندنافية وبريطانيا العظمى وأمريكا الشمالية، بأن الأبيض في مفهومهم مقصورٌ على أصحاب العِرق الذين عرَّفوهم بأنهم الآريُّون، وبشكل شبه مؤكد لم يشمل ذلك حليقي الرؤوس من الإسبانيين والإيطاليين والبرتغاليين الذين أعلنوا ولاءهم لليمين العنصري.

علاوة على ذلك، فإن فكرة وضع العِرْق في الصدارة بلغت أوجها في تلك السنوات في ظل انتشار النزعة القومية؛ ذلك أن الصراع من أجل العِرق في نظر المؤمنين بهذه الفكرة كان لا بد من خوضه بوصفه صراعاً من أجل القوة الوطنية. وبرغم كل شيء، فقد كان عالمهم في النهاية عالماً قوامه الدول القومية.

إن الاتحاد الأوروبي، ثم «السوق الأوروبية المشتركة»، التي كانت موجودة من 1957 إلى 1993 عندما أُفسح المجال أمام «الجماعة الأوروبية»، قد تعرَّضا للسخرية في الخطاب السائد المحافظ، بوصفهما «صبيَّيْ أوروبا المجنونَيْن» وندَّد بهما اليمين المتطرف واصفاً إياهما بالمؤامرة اليهودية.

وفي اليمين الأمريكي المتطرف، باستثناءٍ وحيد للاشتراكيين الوطنيين من محبي الألمان دائماً، كان يُنظر إلى جميع أشكال الأممية من الأمم المتحدة إلى المعاهدات والوكالات الدولية على أنها تآمرية، مع اعتبار «اليهودي الدولي»، مرة أخرى، قائماً بالدور الخبيث الرئيسي في المؤامرة.

وعلى النقيض من ذلك، فإن هجمات الذئاب المنفردة، التي يقوم الجاني ببثها فور حدوثها، تحظى بجمهور عالمي. وسواء كان الهجوم في نيوزيلندا أو في الولايات المتحدة أو ألمانيا أو مناطق بينها، تُعوَّض المشاعر القومية بمفهوم واسع للعِرق الأبيض بأنه مهدَّد في كل مكان، ومن ثم يجب أن يحدث النضالُ دون اعتبارٍ للحدود.

حدثت الهجمات التي تبث لحظياً في الولايات المتحدة وألمانيا ونيوزيلندا في السنوات الأخيرة، لكن الهجوم النموذجي كان هجوم برينتون تارانت، الذي هاجم مسجداً في كرايستشرش في نيوزيلندا في 15 مارس 2019؛ ما أسفر عن مقتل 51 مسلماً وإصابة 49 آخرين[44]. وقام ببث الحدث على الهواء مباشرة، وأصبح بيانه «الاستبدال العظيم» نوعاً من الكتابة المقدسة في الحركة، لتستشهد به وتشير إليه سلسلة القتلة المقلِّدين التي تلت ذلك[45]. وعلى الرغم من أن عدداً قليلاً شاهدوا البث المباشر، فسرعان ما أنتجَ الحدثُ ما لا يقل عن 722 ألفاً و295 تغريدة، والتي اشتملت على تعليقات منها المؤيد ومنها المعارض لما حدث[46]. وسرعان ما دسّ أصحاب الفيديو المقطع في الذاكرة السحابية لتتناقله أيادي المؤيدين للحركة بأريحية كالمنشورات السرية من حقبة أخرى. لكن البيان ينتشر عبر الأوساط بحرّية، وكذلك عبر قنوات أكاديمية مثل .Academia edu[47]. إنه يستحق النظر؛ لأن تأثيره في هجمات الذئاب المنفردة التي ستحدث بعده هائل بدرجة لا يمكن قياسها.

في تناقضٍ صارخ مع بيان بريفيك الهائل، يبدأ «الاستبدال العظيم» بأسلوب مميز يتضمن ظهور عنوان فرعي شبه أكاديمي، «نحو مجتمع جديد»،

---

44. للاطلاع على مقالات عن مختلف الهجمات التالية لهجوم كرايستشيرش، راجع:

the special issue of the CTC Sentinel, vol 12, no. 11, (December 2019), https://ctc.usma.edu/wp-content/uploads/2020/02/CTC-SENTINEL-112019.pdf

45. على سبيل المثال، ستيفان باليت الذي شنّ هجوماً على كنيس يهودي في مدينة هاله الألمانية، وبثّ المذبحة على تطبيق «تويتش»، وهو تطبيق ألعاب مشهور بين أبناء اليمين المتطرف.

"Germany Shooting: 2,200 People Watched on Twitch," BBC, October 10, 2019, https://www.bbc.com/news/technology-49998284.

46. Hanif Fakhrurroja et al., "Crisis Communication on Twitter: A Social Network Analysis of Christchurch Terrorist Attack in 2019" (paper presented at the 2019 International Conference on ICT for Smart Society (ICISS), 2019), https://ieeexplore.ieee.org/abstract/document/8969839/.

47. https://www.academia.edu/38978739/The_Great_Replacement.

وهـو مخطـط دولاب يوضـح جيـداً البنيـة الفكريـة للمعتقـدات الشـائعة في اليمـين المتطرف، علاوة على بعض الإضافات الخاصة به[48]:

الاستبدال العظيم

<hr>

48. الرسم البياني والرسومات التوضيحية مأخوذة من:

"The Great Replacement," https://www.academia.edu/38978739/The_Great_Replacement.

أخـيراً، يُظهـر إدراج قصيـدة ديـلان تومـاس، «لا تمـضِ بهـدوء في ذلك الليـل البديـع» - Do Not
Go Gentle into That Good Night[49]، أنـه بينـما كان بريفيـك مسـتهلِكاً متعطشـاً لأفـكار
الآخرين، كان تارانت مفكراً مستقلاً لديه مجموعة واسعة من التأثيرات والأفكار.

يـأتي تهديـد الهجـرة في مقدمـة معتقداتـه، وهـو تعبـير شـائع بمـا فيـه الكفايـة
لليمـين المتطـرف، وهـو محـور مقدمـة «الاسـتبدال العظيـم». ولكـن في الأماكـن التـي
تخـشى فيهـا الحـركات العنصريـة عـادة تمـازجَ الأجيـال، يكـون قلـق تارانـت عمليـاً
بشـكل أكـبر - فمعـدل مواليـد البِيـض منخفـض مقارنـة بمعـدلات الخصوبـة الأعـلى
بكثير بين العائلات المهاجرة.

هـذه الأزمـة المتعلقـة بالهجـرة الجماعيـة والخصوبـة دون مسـتوى الاسـتبدال
هـي اعتـداء عـلى الشـعب الأوروبي، وإذا لم تتم مكافحـة هـذا الاعتـداء فسـيؤدي في
النهاية إلى الاستبدال العرقي والثقافي الكامل للشعب الأوروبي[50].

ومن ثم:

هذا استبدال عِرقي.

هذا استبدال ثقافي.

هذا استبدال عنصري.

---

49. توجد القصيدة كاملة مع قراءة مؤثرة على الموقع:

Poets.org: https://poets.org/poem/do-not-go-gentle-good-night.

50. "The Great Replacement."
سـيكون مـن دواعـي سرور المختصـين بالتعليـم، الذيـن يطالعـون هـذا العمـل، أن تارانـت يُحـدِّد مصـادر خوفـه، غـير
أنه قد يُصْدَم بسبب الاستخدام المنفرد لموقع ويكيبيديا لهذا الغرض.

هذه إبادة لأصحاب البشرة البيضاء[51].

فيما يلي مقابلة وهمية يطرح فيها المؤلف نوعَ الأسئلة على نفسه التي قد يطرحها صحفي محايد. سيرةٌ ذاتيةٌ موجزة جداً يتبعها تسويغٌ للعمل الذي هو على وشك القيام به. النص مكتوبٌ على مستويات متعددة، وهو في متناول الجمهور العام لكنه مليء بالمصطلحات، والجوانب الذكية، والنكات التي لن يفهمها سوى خبراء الحركة. فعلى سبيل المثال، يصف تارانت مصادر رزقه بأنها بعض استثمارات البيتكوين الهامشية ووظيفة جانبية «مزيل الكباب»، وهي عبارة مرجعية شائعة في غرف الدردشة 4chan و8chan تشير إلى قتل مسلمي البوسنة في الحرب الأهلية اليوغوسلافية في تسعينيات القرن العشرين[52].

ثم يطرح تارانت بعد ذلك أهدافاً جيوسياسية لعمله مبالغاً فيها ومثيرة للسخرية تماماً، بدءاً من الانتقام البسيط من المهاجرين غير البيض إلى إغراء العداوة والبغضاء بين دول الناتو وتأمين مستقبل العِرق الأبيض في أمريكا الشمالية، بينما يُنهي «حلم البوتقة» الأمريكي. إن الولايات المتحدة تشغل حيزاً كبيراً من تفكيره، وهو ينتقل تدريجياً إلى اقتباس آخر لم يحظ بالتقدير المناسب: «14 كلمة» شهيرة لديفيد لين: «يجب علينا أن نضمن وجود قومنا وأقراننا وأن نضمن مستقبلاً للأطفال ذوي البشرة البيضاء»[53].

إن التطرف الذي يؤدي إلى حمل السلاح هو عملية تدريجية، ولكن خلال سنوات عديدة من العمل الميداني مع أنواع كثيرة من الحركات المتطرفة،

---

51. Ibid.

52. للاطلاع على معجم مختصر بهذه المصطلحات، انظر:

Tess Owen, "Decoding the Racist Memes the Alleged New Zealand Shooter Used to Communicate," Vice News, March 15, 2019, https://www.vice.com/en_us/article/vbwn9a/decoding-the-racist-memes-the-new-zealand-shooter-used-to-communicate.

53. "The Great Replacement."

ثمة قاسم مشترك واحد يوجد بينها - أن أحد العوامل الدائمة هو وجود حدث مثير يُجبر الفرد على اتخاذ قرار بأنه يجب أن يفعل شيئاً؛ لم يعد مجدياً أن يكتفي بهذا الاعتقاد السلبي والأمل في التغيير والتضرع. بالنسبة إلى تارانت، الذي تحتل روح عصره نطاقاً دولياً، كان الحدث المثير هو وفاة فتاة صغيرة في ستوكهولم، تُدعى إيبا أكيرلوند، التي لقيت مصرعها مصادفة عندما صدمتها سيارة إرهابي متطرف هارب[54]. ويختم الكلام بأن الدافع الأخير نبع من جولته عبر فرنسا التي لاحظ فيها المظهر المتهالك للمدن الفرنسية التي تضم أعداداً كبيرة من اللاجئين.

هذا الجزء الضئيل جداً من تسويغ تارانت لأعماله التي تركزت في نيوزيلندا أمرٌ مهم. إن الطابع الدولي للحركات العِرقية في القرن الحادي والعشرين لافتٌ للنظر[55] ومثير للسخرية بشكل ملحوظ، لأنه يعكس بشكل لا شعوري شعار معاداة السامية التاريخي «الكوزموبوليتانيون (العالميّون) الذين لا جذور لهم».

في تناقض صارخ مع القرائن العنصرية في القرن العشرين، نادراً ما يُذكر اليهود في سياق الكلام. في الواقع، يحاول تارانت جاهداً أن ينأى بنفسه عن معاداة السامية. ويقول، بعد أن طرح السؤال على نفسه في الموضوع: «لا.. إن اليهود الذين يعيشون في إسرائيل ليسوا أعدائي، ما داموا لا يسعون إلى إثارة

---

54. "Stockholm Quietly Remembers Victims of Terror Attack," The Local, April 8, 2019, https://www.thelocal.se/20190408/stockholm-quietly-marks-two-year-anniversary-of-terror-attack.
إن الموت محك أساسي لليمين المتطرف أيضاً. انظر صفحة فيسبوك غير المُصرح بها المعنونة «اللاجئون ليسوا محل ترحاب» (Refugees Not Welcome) التي تحوي صورة للفتاة الصغيرة وقبرها.
https://www.facebook.com/100457965292069/posts/1871595482897144/.
55. إن تدويل حركة «حياة السود مهمة» بعد وفاة جورج فلويد مثال آخر على ذلك. اليوم، على سبيل المثال، تبدأ جميع مباريات الدوري الإنجليزي الممتاز لكرة القدم بركوع اللاعبين على ركبةٍ واحدة للتنديد بالعنصرية بكل أشكالها.

القلاقـل بيـن شـعبي أو إيذائـه»[56]. ومـع ذلـك، فإنـه يـدرك اسـتمرار انتشـار معـاداة السـامية في الحركـة، ومـن ثـم فإنـه، مـن قبيـل التصحيـح السياسي العنصري، حريـص على عـدم كتابة الكلمات «Jew» أو «Israel» بأحرف كبيرة.

إن هـذا الإدراك للمسـائل الحساسـة في الحركـة - المتولـد مـن انغماسـه في عـالم غـرف الدردشـة ووسـائل التواصل الاجتماعـي - ينعكـس في قسـم يطرح فيه على نفسـه أسـئلة معاديـة يفتـرض أنهـا سـتتدفق تدفـق المـاء في النهـر في المناقشـات الداخلية. قد يكون السؤال الآتي أكثرها حدة:

هـل أنـت عميـل فيدرالـي/ محتـال/ عميـل للموسـاد/ عنصـر تمويـه/ متسـلل/ مناهض للفاشية/ شخص مشبوه، ... إلخ؟

لا، ولكـن يمكـن أن يكـون الشـخص التالـي للهجـوم كذلـك، لـذا فـإن الشـك السـليم [كـذا] أمـرٌ جيـد. فقـط لا تَـدَعْ شـكوكك تتحـول إلى جنـون العظمـة، وتمنعك من دعم أولئك الذين يريدون لك الأفضل[57].

وبالمثـل، فـإن المنتقديـن متوقعـون أيضـاً، ولكـن سرعـان مـا يتحـول هـذا إلى عـالم الخيـال والأحـلام الطفوليـة، والتـي تـم تضمينهـا هنـا لإعـادة ملاحظة أن تدويـل حركـة العِرق الأبيـض قـد تدخـل قريبـاً في مرحلـة مـا بعد القوميـة الحقيقيـة عندمـا ييـأس المؤمنـون الحقيقيـون أخـيراً مـن إنقـاذ دولهـم الفردية. إن فانتازيا الروايـة الهزلية هنا هـي جزء مـن أسـلوب جـو ليدجر السـاخر حـول عمـلاء القوات الخاصة الأمريكيـة السريين المارقين[58]. إن الأسـاطير الأمريكيـة التـي تـدور حـول إضفـاء المثاليـة علـى القـوة العسـكرية بـكل هـذا

---

56. "The Great Replacement."

57. Ibid.

58. جو ليدجـر هـو الشـخصية الرئيسـية في سلسـلة طويلـة مـن روايـات جوناثان مايبيري. ويشـارك ليدجر ورفاقه في قتـال في سـياق سـيناريوهات الخير في مواجهـة الـشر في الكتب الكوميدية التـي تضم بـين دفتيها مـوتى أحيـاء ومصاصي دماء وكائنات فضائية وعلماء مجانين وغير ذلك الكثير.

الوضوح، مع بقاء نيوزيلندا مسالمة ورعوية إلى حد كبير، لا تكاد تُذكر أبداً في رواياته:

أنت متعصب، عنصري، تكره الأجانب، تَرهَب الإسلام، نازيٌّ، فاشيٌّ!

أ.   المجاملات لن تفيدك شيئاً [كذا].

ب.   هذا ليس سؤالاً[59].

ما يلي هو ما يقارب خمسين صفحة من الملاحظات التاريخية، والاقتراحات الاستراتيجية لمن سيتبعونه، والمزيد من المواد التي قد تهم علماء النفس والباحثين في مجال الإرهاب والمسؤولين عن إنفاذ القانون. ومع ذلك، فإن المجال يحول دون إجراء تحليل نصي مفصَّل. ينتهي «الاستبدال العظيم» بنسخ بداية قصيدة أخرى، بعنوان «Invictus»، ألَّفها وليام إرنست هينلي، والتي تخلص إلى أنه:

لا يهم مدى استقامة البوابة،

أو كيف تعجُّ القائمة بالعقوبات،

فأنا سيد مصيري:

أنا قائد روحي[60].

يختتم تارانت البيان بشعار «أوروبا تنهض» وحزمة من الصور الفوتوغرافية المستعارة التي توضح بشكل جميل أحلام تارانت. هناك صور رعوية مثالية لحياة الريف الأبيض، ومشاهد الصيد، وفتاة صغيرة مع والدتها، وطفلة رضيعة مع والدتها، وبالطبع هناك جنود أمريكيون في دورية، فيما يبدو أنه جبال أفغانستان.

---

59. Ibid.

60. https://poets.org/poem/invictus.

تعريفات أكاديمية

أمسـت المؤلفـات الأكاديميـة التـي تتعلـق بإرهـاب الذئـاب المنفـردة ضخمـة، لدرجـة أن الإحاطـة التامـة بتلـك المؤلفـات تتطلـب إجـراء دراسـة علميـة شـاملة. ولذلـك، يركـز هـذا القسـم عـلى العديـد مـن الإسـهامات الرئيسـية فقـط. لقـد استهللتُ بدراستي حـول «المقاومـة بـلا قيـادة»، التـي ظهـرت في عـام 1997 ومثّلـت أول اسـتخدام لمصطلح «الذئـب المنفـرد» في المؤلفـات التـي تتنـاول الإرهـاب[61]. ولعـل الدراسـة الأكـثر تأثيراً حـول هـذا الموضـوع قـد أعقبتهـا في عـام 2004، وهـي بقلم مـارك سـيجمان، وبعنوان «فهـم شـبكات الإرهـاب» Understanding Terror Networks[62]. عـلى الرغـم مـن أن الكتـاب ركَّـز عـلى الجماعـات الإسـلامية، فـإن عبارتـه الرنانـة المتمثلـة في الذئـاب المنفـردة، التـي جـرت عـلى ألسـنة «مجموعـة مـن الرجـال»، اسـتحوذت عـلى الخيـال الصحفـي. وتبـع ذلـك العديـدُ مـن الدراسـات المهمـة، بمـا في ذلـك «فهـم إرهـاب الذئـب المنفـرد» Understanding Lone Wolf Terrorism، (2011)[63] لرامـون سـبايج، و»رعـب الذئـب المنفـرد وصعـود نجـم المقاومـة بـلا قيـادة» -Lone Wolf Terror and the Rise of Leaderless Resis

---

61. Jeffrey Kaplan, "Leaderless Resistance," Terrorism and Political Violence 9, no. 3 (1997): 80-95. Cf. Keith Ludwick, "Book Review: The Alphabet Bomber: A Lone Wolf Ahead of His Time," CBRNE Central, April 16, 2019, https://cbrnecentral.com/book-review-the-alphabet-bomber-a-lone-wolf-ahead-of-his-time/18566/.

62. Marc Sageman, Understanding Terror Networks (Philadelphia: University of Pennsylvania Press, 2004). Cf. Marc Sageman, Leaderless Jihad: Terror Networks in the Twenty-First Century (Philadelphia: University of Pennsylvania Press, 2008).

63. Ramon Spaaij, Understanding Lone Wolf Terrorism: Global Patterns, Motivations and Prevention, Springer Briefs in Criminology, (Dordrecht Springer, 2011).

In Pursuit «في ملاحقة الذئب المنفرد الإرهابي» و، لجورج مايكل (2012)[64] tance
«إرهاب الذئب المنفرد»و، لبيتر فيليبس (2013)[65] ،Of The Lone Wolf Terrorist
بـه الخاصة الحالة ودراسة، سايمون دي لجيفري (2013) ،Lone Wolf Terrorism
جيفـري مختـارات ذلـك إلى أضـف .(2019)[66] The Alphabet Bomber، :بعنـوان
الخليـة وإرهـاب المنفـرد الذئـب» بعنـوان مالـكي ولينـا لـوف وهيلينـا كابـلان
ومجموعة ،(2015)[67] ،Lone Wolf and Autonomous Cell Terrorism «المستقلة
رائـع بشكل مدرجـة لكنهـا، لذكرهـا المجـال يتسـع لا التـي المقـالات مـن جـداً كبيـرة
«موجزة مراجع قائمـة - المنفـرد الذئـب إرهـاب» المعنـون مـارلات إي غريتـا كتـاب في
كل لخصـت حيـث، (2019)[68] ،Lone Wolf Terrorism - A Short Bibliography
فهمنـا في وأسـهمت، مختلفـة حالـة دراسـات وقدمـتْ، الآن حتـى النتائـج دراسـة
.المنفرد الذئب لظاهرة

المعنون بانتوتشي رافايلـو كتـاب هـو لأغراضنـا فائـدة أكثرهـا يكون ربمـا ولكـن
A Typol- -«المنفردين الإسلامويين للإرهابيـين أولي تحليـل :المنفـردة الذئـاب تصنيـف»
والذي ،ogy of Lone Wolves: Preliminary Analysis of Lone Islamist Terrorists
بانتوتـشي يشـير .المتطرفة اليمينيـة المنفـردة الذئـاب بدراسـة صلـة ذات نتائجـه تُعـد

64. George Michael, Lone Wolf Terror and the Rise of Leaderless Resistance (Nashville: Vanderbilt University Press, 2012).

65. Peter J. Phillips, In Pursuit of the Lone Wolf Terrorist: Investigative Economics and New Horizons for the Economic Analysis of Terrorism (Hauppauge, New York: Nova Science Publishers, Inc., 2013).

66. Jeffrey D. Simon, Lone Wolf Terrorism: Understanding the Growing Threat (Amherst, New York: Prometheus Books, 2016). Jeffrey D. Simon, The Alphabet Bomber: A Lone Wolf Terrorist Ahead of His Time (Lincoln: Potomac Books, an imprint of the University of Nebraska Press, 2019).

67. Jeffrey Kaplan, Heléna Lööw, and Leena Malkki, Lone Wolf and Autonomous Cell Terrorism (London: Routledge, January, 2015).

68. Greta E Marlatt, Lone Wolf Terrorism-A Brief Bibliography, Department of Homeland Security Digital Library (Washington, DC, 2019), https://calhoun.nps.edu/handle/10945/24281.

على نحو صائب إلى أن هجمات الذئاب المنفردة نادراً ما ينفذها شخص وحيد دون أي شكل من أشكال الاتصال بالآخرين، أو دون مساعدة خارجية على الإطلاق على غرار جوزيف بول فرانكلين. ويقدم بدلاً من ذلك تصنيفاً من أربعة أجزاء يعتمد على تحليل مفصَّل لمجموعة متنوعة من عمليات الذئاب المنفردة. هذه العمليات هـي: «المنفرد» Loner، و«الذئب المنفرد» Lone Wolf، و«قطيع الذئاب المنفردة» Lone Wolf Pack، و«المهاجم المنفرد» Lone Attacker[69].

إن المنفرد الحقيقي، الذي يتصرف بمفرده في عزلة تامة، نادرٌ، ويوجد في منطقة تعريفية مجهولة المعالم. ومن الأمثلة على ذلك جوزيف بول فرانكلين وتيد كازينسكي. هل كانا ذئبَين إرهابيَّين منفردَين أم قاتلَين متسلسلَين أم مجرد فردَين مختلَّيْن عقلياً، أم كل ما سبق؟ قد يجادل المرء بأن المنفرد الحقيقي قد ذهب إلى حيث ذهبت أشرطة الكاسيت القديمة في عصر الرقاقة الدقيقة. وكما توضح النظرة السريعة على مجموعات مثل Incels (اختصاراً لـ Involuntary Celibates» وتعني العزَّاب اللاإراديين) المحبطين بشكل مؤلم، لن يبدو غريباً جدّاً أن يوجد شخص بلا رفاق، بفضل الإنترنت[70].

ربما يكون الذئب المنفرد في رواية بانتوتشي هو الأكثر شيوعاً. يتصرف الذئب المنفرد بمفرده ولكن ترعاه بيئة داعمة. من الأسهل رؤية ذلك، وبالتالي

---

69. Raffaello Pantucci, A Typology of Lone Wolves: Preliminary Analysis of Lone Islamist Terrorists, ICSR (March 2011), https://www.academia.edu/download/24801864/1302002992icsrpaper_atypologyoflonewolves_pantucci.pdf.

70. Elle Reevel, "This is What the Life of an Incel Looks Like," Vice News, August 2, 2018, https://www.vice.com/en_us/article/7xqw3g/this-is-what-the-life-of-an-incel-looks-like.

ثمة شخصية لا تُنسى من بين شخصيات في غرف الدردشة، فبعد أن أُبلغت بأن ثمة امرأة موجودة افتراضيّاً، لقيت هذه المرأة، شأنها شأن أربع أخريات كن يترددن على غرفة الدردشة، حتفها انتحاراً في وقت لاحق. ولم يؤثر موقفه على مكانته في المجموعة. وعلى النقيض من ذلك، عندما خَنَقَ دان بوروس عضو الحزب النازي الأمريكي الـذي طُرِدَ شأنه شأن فرانكلين من الحزب، كلب الجماعة، وكان يدعى غاس تشامبر، نُفي استناداً إلى إجراءات عاجلة من الثكنات ومن المجموعة؛ لقد تغير الوعي والزمن.

مواجهته، في حالة الجماعات المتشددة، إذ يمكن مراقبة شبكات المساجد والمنتديات المتطرفة عبر الإنترنت والتسلل إليها. ربما يحصل الذئب المنفرد بالفعل على مساعدة على طول الطريق، لكنه في النهاية يتصرف بمفرده. إن قطيع الذئاب شبيه بذلك، لكنه يضم مجموعة صغيرة مستقلة نسبياً يعتقد بانتوتشي أنها لم تزل تمثل هجوم ذئب منفرد. قد يكون من الأفضل تسمية هذا الشكل من هجمات الذئاب المنفردة بهيكل الخلية المستقل وتصنيفه في أحسن الأحوال على أنه عملية منفذة على نمط الذئب المنفرد[71].

وأخيراً، يُعد المهاجم المنفرد سمة شائعة بشكل متزايد لهجمات الجماعات المتشددة، لكنه لم يزل نادراً جداً في اليمين المتطرف، إذ إن الهياكل التنظيمية أقل تطوراً بكثير. إن المهاجم المنفرد، وفقاً لبانتوتشي، يتصرف بمفرده، لكنه مع ذلك مرتبط بتنظيم يسيطر عليه إلى حد ما[72]. في الوقت الحاضر، ارتكبت أتوموافن Atomwaffen، وهي مجموعة اشتراكية وطنية مقرها الولايات المتحدة، أعمال عنف من هذا النوع، على الرغم من أن ذلك كان على حساب اعتقال أعضائها وإخراج المجموعة إلى حد كبير من قطاع الأعمال بسبب الضغوط الحكومية[73].

---

71. Pantucci, A Typology of Lone Wolves: Preliminary Analysis of Lone Islamist Terrorists. Kaplan, Lööw, and Malkki, Lone Wolf and Autonomous Cell Terrorism.

72. Pantucci, A Typology of Lone Wolves: Preliminary Analysis of Lone Islamist Terrorists.

73. A. C. Thompson, Ali Winston, and Jake Hanrahan "Inside Atomwaffen As It Celebrates a Member for Allegedly Killing a Gay Jewish College Student," Pro Publica, February 3, 2018, https://www.propublica.org/article/atomwaffen-division-inside-white-hate-group. Rachel Weiner and Matt Zapotosky, "Five Arrested, Accused of Targeting Journalists as Part of Neo-Nazi Atomwaffen Group," Washington Post, February 26, 2020, https://www.washingtonpost.com/local/public-safety/propublica-named-him-as-an-atomwaffen-leader-feds-say-he-struck-back/2020/02/26/c9548ac4-57e5-11ea-ab68-101ecfec2532_story.html.

على الرغم من أن لتصنيف بانتوتشي فائدة إرشادية، فإنه يقودنا إلى التساؤل الواضح عما إذا كان قطيع الذئاب يشكل إرهاباً منفرداً على الإطلاق أم لا. على أنني قلتُ في موضع آخر إنه ليس كذلك، وأن هذا النوع من العنف يمكن تحليله بشكل أفضل بوصفه خلايا مستقلة بدلاً من عنف الذئاب المنفردة.

يرى بارت شورمان وآخرون أن قطيع الذئاب، شأنه شأن مفهوم إرهاب الذئاب المنفردة نفسه، قد فقد عنفوانه فيما يخص الجانبَ الأكاديميَ وإنفاذ القانون على حد سواء:

ومع ذلك، بالنظر إلى البحوث الجارية حول الإرهاب بشكل عام، فإن مفاهيمنا حول الفاعلين المنفردين غالباً ما تستند إلى افتراضات مشكوك فيها من الناحية المفاهيمية والمنهجية، والتي تكون ضارة للمكلفين باكتشاف هذا التهديد والوقاية منه والاستجابة له، بقدر ما هي ضارة لمن يدرسونها. وغالباً ما يتضح أن المهاجمين الذين يتم تصنيفهم على عجل بأنهم «ذئاب منفردة» لديهم علاقات شخصية أو سياسية أو تشغيلية بشبكات أكبر.

يتمثل جزء من المشكلة في أن التفكير في إرهاب الفاعل المنفرد يشوبه التباس مفاهيمي. فنحن نستخدم مصطلح «الفاعلين المنفردين» عن قصد بدلاً من الذئاب المنفردة، إذ يشير هذا الأخير إلى مستوى عالٍ من المكر والفتك الذي لا يوجد غالباً بين هؤلاء الأفراد. وعلاوة على ذلك، فإنه يُخلِّد مصطلحاً مثيراً نشأ مع المتطرفين اليمينيين الأمريكيين. وإننا نتجنب أيضاً التناقض اللفظي لـ «قطعان الذئاب المنفردة». فبغض النظر عن مدى صغر هذه الثنائيات أو الثلاثيات أو الخلايا الصغيرة، ما إن يتفاعل شخصان أو أكثر مع بعضهم بهدف ارتكاب هجوم إرهابي، حتى تلعب ديناميات المجموعات الصغيرة دورها. إن ضغط الأقران، وتفاعلات القائد مع المتابعين، والاستقطاب الجماعي، والعمليات

الاجتماعية-النفسية الأخرى بحكم التعريف - كل ذلك يستبعد تضمينَ حتى أصغر «القُطعان» تحت عنوان إرهاب الفاعل المنفرد[74].

إن انتقادات شورمان سليمة وتقودنا إلى مفهوم الذئب المنفرد في يومنا هذا.

باختصار:

على النقيض مما يراه شورمان وآخرون، فلا يزال لمصطلح الذئب المنفرد قيمة إرشادية وارتباط بإنفاذ القانون، لكن المفهوم قد تطوَّر، شأنه شأن كل شيء آخر في عصر الإنترنت ووسائل التواصل الاجتماعي العالمية. لقد كان هذا التغيير جارياً بالفعل عندما دخل المصطلح المشهد الأكاديمي في تسعينيات القرن العشرين، وسيظهر بالكامل بحلول العقد الثاني من القرن الحادي والعشرين.

إن الذئاب المنفردة الحقيقية، أمثال فرانكلين وكازينسكي، شأنها شأن المخلوقات التي تحمل الاسم نفسه في البريّة، من الأنواع المهددة بالانقراض. كان زمانهم يتسم بمزيد من البساطة، إذ كانت وسائل الإعلام الشعبية مغلقة إلى حد كبير أمام اليمين المتطرف، باستثناء عدد قليل من البرامج الحوارية التي تُبث في وقت متأخر من الليل، مثل برنامج الراحل، الفقيد جو باين، الذي تحدث في ستينيات القرن العشرين على الهواء مباشرة عن الأشخاص غريبي الأطوار وأصحاب الآراء السياسية المتطرفة، بكل ما يخطر في البال من أوصافهم، مستهزئاً في الوقت نفسه بأفكارهم بفكاهة جافة لاذعة[75].

---

74. Bart Schuurman et al., "End of the Lone Wolf: The Typology That Should Not Have Been," Studies in Conflict & Terrorism 42, no. 8 (2019): 771-2.

75. Kevin Cook, "Joe Pyne Was America's First Shock Jock," Smithsonian Magazine, June 2017, https://www.smithsonianmag.com/history/joe-pyne-first-shock-jock-180963237/.

وبحلول ثمانينيات القرن العشرين، كان لدى شخصيات الحركة البارزين وصول أقل إلى وسائل الإعلام الرئيسية، إلا عن طريق منح شخصيات «مذيعين» ساخرين الفرصة للسخرية منهم وإهانتهم. ومع ذلك، كانت أهداف الإساءة اللفظية هذه أكثر حساسية من ذي قبل، كما اكتشف آلان بيرغ، مذيع محطة دنفر Denver الساخر، أن أحد شخصيات الحركة الذين سخر منهم على الهواء، لم يكن سوى ديفيد لين، الذي قتله بمساعدة أعضاء آخرين من أصحاب الشأن في الحركة رمياً بالرصاص في عام 1984 [76].

إن نوع العزلة الذي سمح لفرانكلين وكازينسكي بالعمل لتلك الفترات الطويلة من الزمن لا وجود له اليوم. لا يوجد منفردون حقيقيون بين الذئاب المنفردة اليوم. فكل واحد منهم تشكِّله وترعاه البيئة الداعمة لغرف الدردشة ووسائل التواصل الاجتماعي. ومع ذلك، عندما يقررون بدء العمل، فإنهم يتصرفون بمفردهم؛ ما يمنح مصطلح «الذئب المنفرد» فائدة مستمرة.

إن عبارة «الفاعل المنفرد» لا بأس بها من حيث الاصطلاح، لكن الحجة القائلة بأن مصطلح «الذئاب المنفردة» يمنح المهاجم الكثير من الفضل في المكر والدهاء هي حجة مضللة. فنجاح هجماتهم دليل كافٍ على أنهم لا يفتقرون إلى المكر أو الدهاء، باستثناء الحالات القليلة الواضحة غير المتزنة عقلياً.

كشفت التحقيقات التي أُجريت بعد وفاة الجناة عن سلسلة غنية من منشورات الإنترنت ووسائل التواصل الاجتماعي التي أشارت إلى ما ينوي الجاني فعله، لكن هذه دائماً ما تكون نوعاً من الرسائل المحفوظة في زجاجة، المخبأة في محيط المنشورات والتغريدات

---

76. Stephen Singular, Talked to Death: The Life and Murder of Alan Berg (New York: Beech Tree Books, 1987).

لقد مَنَح الانفتاح المبكر على التلفزيون العام بعض القادة العنصريين مثل توم ميتزجر لحظة حيَّة على موجات البث، ولو أن عدداً قليلاً جداً من الناس درجوا على مشاهدة المحطات التلفزيونية المتاحة لعموم الناس. واستمر بَث برنامجه المعنون «العُنصر والعلَّة» Race and Reason- مدة طويلة، غير أنه لم يكن متاحاً خارج كاليفورنيا إلى حدٍّ كبير. ولم يكن البرنامج سائداً بين العامة.

التـي تحمـل جميعهـا مشـاعر متشـابهة لـدى مؤمنيـن حقيقييـن لا يحلمـون هـم أنفسـهم بفعل ذلك في عالم الواقع. ومـع ذلك، فقد أحرزت أجهزة إنفـاذ القانون تقدماً كبيراً في فهم جناة الذئـاب المنفرديـن ومكافحتهـم بدرجـة محـدودة جـداً. ويتم بـذل أكـبر جهـد في هـذا الصـدد بإحباط ظهور الجناة المحتملين عن طريق الاكتشاف المبكر.[77]

في صـدى تـردّد لحركـة القـرن العشريـن، لم تـزل كلـمات ديفيـد ليـن الأربـع عشرة منتـشرة في كل مـكان، ولكـن يُنظـر إلى التهديـد الحقيقـي للعِـرق الأبيـض عـلى أنـه ينبـع من الهجرة لا من العنصرية على النمط الأمريكي، التي ركزت على تمازج الأجيال.

وفي تحـوُّلٍ هـو أكـثر أهميـة، أصبحـت معـاداة السـامية أقل مركزية بالنسـبة إلى الحركـة. وبـدلاً مـن ذلـك، فإن المعتقدات المناهضـة للهجرة والكراهيـة الشـديدة للإسـلام تنتـشر الآن في الحركـة، وتعمـل عمـل المحفـز لعمليـات الذئـاب المنفـردة اليـوم. ونظـراً لأن لغـة الإنترنـت هـي اللغـة الإنجليزيـة في المقـام الأول، فمـن غـير المفاجـئ أن تكـون منشـورات غـرف الدردشـة والألعـاب والمناقشـة، مثل البيانـات التي كتبها إرهابيو الذئاب المنفردة، مكتوبة باللغة الإنجليزية بالكامل تقريباً.

أخـيراً، ومـن الأهـم بالتأكيـد معرفـة أن القوميـة البيضـاء - شـأنها شـأن الأمميـة البروليتاريـة القائمـة عـلى الطبقيـة، والتي كانـت ذات يـوم تتسـم بالشـيوعية المثاليـة - يبـدو أنهـا في طـور التحـول إلى أمميـة قائمـة عـلى العِـرق قـد تحُـلُّ يومـاً ما محـلَّ القوميات القائمة على الدول التي تميزت بها الحركة في القرن العشرين.

---

77. Lone Offender: A Study of Lone Offender Terrorism in the United States (1972 – 2015), National Center for the Analysis of Violent Crime, Federal Bureau of Investigation (FBI, November 2019), https://www.fbi.gov/file-repository/lone-offender-terrorism-report-111319.pdf. Angela Guldimann and J Reid Meloy, "Assessing the Threat of Lone-Actor Terrorism: The Reliability and Validity of the TRAP-18," Forens Psychiatr Psychol Kriminol 14 (2020): 158-66. Randy Borum et al., "Threat Assessment: Defining an Approach for Evaluating Risk of Targeted Violence," Behavioral Sciences & the Law 17, no. 3 (1999): 323-37.

الجزء الثالث

النتائج المستخلصة

ما معنى ذلك كله؟

مـا فتئـت هجـمات الذئـاب المنفـردة تشـكل التهديـد الرئيـسي للإرهاب اليـوم[78]. وذلـك ناتـج عـن سـهولة وبسـاطة عمليـات الذئـب المنفـرد والصعوبـات التـي يواجهـها تطبيـق القانـون في التنبـؤ أو اسـتباق ظهـور الجنـاة المنفرديـن. ومـن المفارقـات أن أولويـة المهاجـم المنفـرد هـي أثر جانبـي غـير مقصـود لنجـاح «الحـرب عـلى الإرهاب» الغربيـة. فمـع طـرد داعـش مـن الرقَّـة ودحـر قواتهـا في الميـدان، لم يعـد الإرهابيـون يتمتعـون بالقـدر نفسـه مـن الوصـول إلى الملاذ والتدريـب. وكذلـك تدهـور تنظيـم القاعـدة بشـكل حـاد بعد مقتـل أسـامة بـن لادن. ومـا فتـئ التنظيـمان يشـجعان الهجـمات ويرعيانهـا، لكـن هـذه الهجـمات تتخِـذ عـلى نحـو شـبه دائـم شـكلَ عمليـات الذئـب المنفـرد أو الخليـة المسـتقلة. وهكـذا، واجـه الإرهابيـون المتشـددون الوضـع المأسـاوي الـذي عاشـه اليمـين المتطرف منذ فـترة طويلـة، والـذي لم يكـن لديـه قط دول أو منظـمات قويـة لتمويـل أعماله أو توجيهها. هـم أيضاً تحولوا بشـكل متزايد إلى عنف الذئاب المنفردة.

إن تراجـع المنظـمات الإرهابيـة، التـي تحـوَّل معظمهـا الآن إلى شـبكات لامركزيـة، يعنـي عمليـاً أن الأحـداث الإرهابيـة، مثـل 11 سـبتمبر في نيويـورك، و7 يوليـو في إنجلـترا، أو تفجـيرات مـترو أنفـاق مدريـد، هـي ذكريـات مـن المـاضي. وعـلى النقيـض مـن ذلـك، يجـب عـلى الإرهابيـين مـن الذئـاب المنفـردة الاكتفـاء بأسـلحة بدائيـة تـتراوح مـا بـين البنـادق والسـكاكين إلى الشـاحنات والسـيارات التـي يمكـن أن تـضرب مـرة واحـدة وتـؤدي فقـط إلى الحـد الأدنى مـن الإصابـات. قد

---

78. للاطلاع على نقاش حول مدى انتشار إرهاب الذئاب المنفردة، فضلًا عن تحليل إحصائي للبيانات المتاحة، راجع:

Noah D Turner, Steven M Chermak, and Joshua D Freilich, "An Empirical Examination on the Severity of Lone-Actor Terrorist Attacks," *Crime & Delinquency* (2021): 1-28.

تشجع الشبكات الإرهابية هجمات الذئاب المنفردة وتنال سمعة بفضلها، لكنها لا تستطيع فعل الكثير من حيث التدريب أو التنظيم أو الدعم اللوجيستي. وسيظل إرهاب الذئاب المنفردة التهديد الإرهابي الرئيسي لبعض الوقت في المستقبل.

ومع ذلك، فقد تطوَّر التكتيك بشكل كبير في السنوات الأخيرة. فبينما واصل جوزيف بول فرانكلين وتيد كازينسكي أعمالهما لفترات طويلة من الزمن عن طريق إبقاء هويتَيهما مخفيتَين بالكامل، فإن عمليات الذئب المنفرد الأكثر نجاحاً اليوم تتم في بيئة غنية بالوسائط يترُك فيها الجناة أدلةً لا تُعدُّ ولا تحصى حول نياتهم وأهدافهم وحتى التاريخ الذي سيهجمون فيه. في كرايستشرش وبيتسبرغ ومشاهد أخرى من المذبحة، بثت الذئاب المنفردة هجماتها مباشرة على جمهور مواقع التواصل الاجتماعي، وانتشرت مقاطع الفيديو الخاصة بالحدث على نطاق واسع حتى بعد سحبها من خوادم Telegraph و4Chan و8Chan وغيرها. وغالباً ما يتم استكمال مقاطع الفيديو ببيانات مكتوبة يتم تداولها بحرّية أكبر من مقاطع الفيديو الخاصة بهجماتها.

والغرض من ذلك هو إلهام الآخرين ليحذوا حذو المهاجم، وإن نجاح هذا التكتيك هو ما يجعل إرهاب الذئاب المنفردة أكثر فاعلية من أي وقت مضى. وعندما يُقبض على أحد الجناة أو يُقتل، فإن نسبة صغيرة لكنها مهمة من جمهور هذا العمل العنيف تقرِّر دائماً ليس الاقتداء بالإرهابي فقط، وإنما محاولة القيام بعمل أفضل، ومحاولة تنفيذ هجمات أكثر جرأة وعنفاً.

ورداً على ذلك، لجأت سلطات إنفاذ القانون بشكل متزايد إلى عائلات وأصدقاء الذئاب المنفردة المحتملة لتلفت أنظارهم إلى علامات التحذير التي أظهرها الذئب المنفرد المحتمل وليحصلوا على المساعدة، سواء من الأطباء أو الاختصاصيين الاجتماعيين أو سلطات إنفاذ القانون. لقد حقق هذا النهج بعض النجاحات، لكن هجمات الذئاب المنفردة مستمرة، وبخاصة من جانب اليمين المتطرف في الدول الغربية، إلى مدى لا نهاية له في الأفق.

Arter, David. "When a Pariah Party Exploits Its Demonised Status: The 2019 Finnish General Election." West European Politics 43, no. 1 (2020): 26073-.

Ayton, Mel. Dark Soul of the South : The Life and Crimes of Racist Killer Joseph Paul Franklin. Washington, D.C.: Potomac Books, 2011.

Barkun, Michael. Religion and the Racist Right: The Origins of the Christian Identity Movement. Rev. ed. Chapel Hill: University of North Carolina Press, 1997.

Beam, Louis. "Leaderless Resistance." The Seditionist, no. 12 (February 1992).

Christensen, Else. "Odinism—Religion of Relevance." The Odinist 82 (1984).

Corcoran, James. Bitter Harvest: Gordon Kahl and the Posse Comitatus: Murder in the Heartland. New York Viking, 1990.

Cotter, John M. "Sounds of Hate: White Power Rock and Roll and the Neo-Nazi Skinhead Subculture." Terrorism and Political Violence 11, no. 2 (1999): 11140-.

Dees, Morris, Steve Fiffer, Morris Dees, and American Bar Association. A Lawyer's Journey: The Morris Dees Story. Aba Biography Series. Chicago, Ill.: American Bar Association, 2001.

Dobratz, Betty A, Stephanie L Shanks-Meile, and Danelle Hallenbeck. "What Happened on Ruby Ridge: Terrorism or Tyranny?". Symbolic Interaction 26, no. 2 (2003): 31542-.

Fakhrurroja, Hanif, Muhammad Nashir Atmaja, Joe Nathan CG Panjaitan, Andry Alamsyah, and Aris Munandar. "Crisis Communication on Twitter: A Social Network Analysis of Christchurch Terrorist Attack in 2019." Paper presented at the 2019 International Conference on ICT for Smart Society (ICISS), 2019.

Fekete, Liz. "Sweden's Counter-Extremism Model and the Stigmatising of Anti-Racism." Institute of Race Relations 9 (2014): 115-.

Flynn, Kevin, and Gary Gerhardt. The Silent Brotherhood: Inside America's Racist Underground. New York: Free Press, 1989.

Futrell, Robert, Pete Simi, and Simon Gottschalk. "Understanding Music in Movements: The White Power Music Scene." The Sociological Quarterly 47, no. 2 (2006): 275304-.

Gardell, Mattias. Gods of the Blood: The Pagan Revival and White Separatism. Durham: Duke University Press, 2003.

Gill, Paul, Emily Cornera, Amy McKeeb, Paul Hitchenb, and Paul

Betley. "What Do Closed Source Data Tell Us About Lone Actor Terrorist Behavior? A Research Note." Terrorism & Political Violence (2019). https://www.tandfonline.com/doi/full/10.108009546553.2019.1668781/.

Griffin, Roger. "From Slime Mould to Rhizome: An Introduction to the Groupuscular Right." Patterns of Prejudice 37, no. 1 (2003): 27-50.

Gruenewald, Jeff, Steven Chermak, and Joshua D Freilich. "Distinguishing "Loner" Attacks from Other Domestic Extremist Violence: A Comparison of Far-Right Homicide Incident and Offender Characteristics." Criminology & Public Policy 12, no. 1 (2013): 6591-.

Hewitt, Christopher. Understanding Terrorism in America: From the Klan to Al Qaeda New York: Routledge, 2003.

Kaczynski, Theodore J. Technological Slavery: The Collected Writings of Theodore J. Kaczynski, Aka" the Unabomber". San Francisco: Feral House, 2010.

Kaplan, Jeffrey. "Absolute Rescue: Absolutism, Defensive Action and the Resort to Force." Terrorism and Political Violence 7, no. 3 (Autumn 1995): 12863-.

———. "America's Apocalyptic Literature of the Radical Right." International sociology 33, no. 4 (2018): 50322-.

———. Encyclopedia of White Power: A Sourcebook on the

Radical Racist Right. Walnut Creek: AltaMira Press, 2000.

———. "Leaderless Resistance." Terrorism and Political Violence 9, no. 3 (1997).

———. Radical Religion in America: Millenarian Movements from the Far Right to the Children of Noah. Syracuse, N.Y.: Syracuse University Press, 1997.

———. "Real Paranoids Have Real Enemies: The Genesis of the Zog Discourse in the American National Socialist Subculture." Chap. 14 In Millennialism, Persecution and Violence, edited by Catherine Wessinger, 299322-. Syracuse: Syracuse University Press, 2000.

———. "Right Wing Violence in North America." Terrorism and political violence 7, no. 1 (1995): 4495-.

———. "The Roots of Religious Violence in America." In Misunderstanding Cults: Searching for Objectivity in a Controversial Field, edited by Benjamin Zablocki and Thomas Robbins, 478509-. Toronto: University of Toronto Press, 2001.

Kaplan, Jeffrey, Heléna Lööw, and Leena Malkki. Lone Wolf and Autonomous Cell Terrorism. London: Routledge, January, 2015.

Kenyon, Jonathan, Christopher Baker-Beall, and Jens Binder. "Lone-Actor Terrorism–a Systematic Literature Review." Studies in Conflict & Terrorism (2021): 124-.

Lööw, Helene. Country Report Sweden. Strategies for Combating Right-Wing Extremism in Europe. Gutersloh: Bertelsmann Stiftung, 2009.

MacDonald, Andrew (William Pierce). Hunter. Hillsboro, WV: National Vangaurd Books, 1989.

Marlatt, Greta E. Lone Wolf Terrorism-a Brief Bibliography. Department of Homeland Security Digital Library (Washington, DC: 2019). https://calhoun.nps.edu/handle/1094524281/.

Mason, James. Siege! Denver, CO: Storm Books, 1992.

Michael, George. "David Lane and the Fourteen Words." Totalitarian movements and political religions 10, no. 1 (2009): 4361-.

———. Lone Wolf Terror and the Rise of Leaderless Resistance. Nashville, TN: Vanderbilt University Press, 2012.

Michel, Lou, and Dan Herbeck. American Terrorist: Timothy Mcveigh & the Tragedy at Oklahoma City. New York: Avon Books, 2002.

Noble, Kerry. Tabernacle of Hate: Seduction into Right-Wing Extremism. Syracuse, NY: Syracuse University Press, 2011.

Pantucci, Raffaello. A Typology of Lone Wolves: Preliminary Analysis of Lone Islamist Terrorists. ICSR (March 2011). https://www.academia.edu/download/248018641302002992/icsrpaper_atypologyoflonewolves_pantucci.pdf.

Phillips, Peter J. In Pursuit of the Lone Wolf Terrorist: Investigative Economics and New Horizons for the Economic Analysis of Terrorism. Hauppauge, New York: Nova Science Publishers, Inc., 2013.

Pollard, John. "Skinhead Culture: The Ideologies, Mythologies, Religions and Conspiracy Theories of Racist Skinheads." Patterns of Prejudice 50, no. 4419-398 :(2016) 5-.

Ridgeway, James. Blood in the Face : The Ku Klux Klan, Aryan Nations, Nazi Skinheads and the Rise of a New White Culture. Newly rev. and updated 2nd ed. New York: Thunder's Mouth Press, 1995. http://www.loc.gov/catdir/enhancements/fy083295043138-/d.html.

———. Blood in the Face : The Ku Klux Klan, Aryan Nations, Nazi Skinheads, and the Rise of a New White Culture. 1st ed. New York: Thunder's Mouth Press, 1990.

Rockwell, George Lincoln. In Hoc Signo Vinces. Arlington, Va.,: World Union of Free Enterprise National Socialists, 1960.

Rosenthal, Elden. "White Supremacy and Hatred in the Streets of Portland: The Murder of Mulugeta Seraw." Oregon Historical Quarterly 120, no. 4 (2019): 588605-.

Sageman, Marc. Leaderless Jihad: Terror Networks in the Twenty-First Century. Philadelphia: University of Pennsylvania Press, 2008.

———. Understanding Terror Networks. Philadelphia: University of Pennsylvania Press, 2004.

Schuurman, Bart, Lasse Lindekilde, Stefan Malthaner, Francis O'Connor, Paul Gill, and Noémie Bouhana. "End of the Lone Wolf: The Typology That Should Not Have Been." Studies in Conflict & Terrorism 42, no. 8 (2019): 77178-.

Simon, Jeffrey D. The Alphabet Bomber: A Lone Wolf Terrorist Ahead of His Time. Lincoln: Potomac Books, an imprint of the University of Nebraska Press, 2019.

———. Lone Wolf Terrorism : Understanding the Growing Threat. Amherst, New York: Prometheus Books, 2016.

Simonelli, Frederick J. American Fuehrer: George Lincoln Rockwell and the American Nazi Party. Urbana: University of Illinois Press, 1999.

Singular, Stephen. Talked to Death: The Life and Murder of Alan Berg. New York: Berkley, 1989.

Smith, Brent L, Jeff Gruenewald, Paxton Roberts, and Kelly R Damphousse. "The Emergence of Lone Wolf Terrorism: Patterns of Behavior and Implications for Intervention." Sociology of Crime, Law and Deviance 20 (September 2015): 89110-.

Spaaij, Ramon. Understanding Lone Wolf Terrorism: Global Patterns, Motivations and Prevention. Springer Briefs in Criminology. Dordrecht Springer, 2011.

Spaaij, Ramón, and Mark S Hamm. "Key Issues and Research Agendas in Lone Wolf Terrorism." Studies in Conflict & Terrorism 38, no. 3 (2015): 16778-.

Sprinzak, Ehud. Brother against Brother: Violence and Extremism in Israeli Politics from Altalena to the Rabin Assassination. New York, NY: Free Press, 1999.

Walter, Jess. Every Knee Shall Bow: The Truth and Tragedy of Ruby Ridge and Randy Weaver Family. New York: ReganBooks, 1995.

Weinberg, Jeffrey Kaplan and Leonard. The Emergence of a Euro-American Radical Right. New Brunswick, New Jersey: Rutgters University Press, 1998.

Wessinger, Catherine. «Deaths in the Fire at the Branch Davidians' Mount Carmel: Who Bears Responsibility?». Nova Religio 13, no. 2 (2009): 25-60.

Wiehl, Lis W., and Lisa Pulitzer. Hunting the Unabomber: The Fbi, Ted Kaczynski, and the Capture of America's Most Notorious Domestic Terrorist. Nashville, TN: Nelson Books, 2020.

جيفري كابلان

جيفـري كابـلان: أكاديمـي أمريكـي كتـب وحـرر 20 كتابـاً و90 مقالـة عـن العنصريـة والعنـف الدينـي والإرهـاب واليمـين المتطـرف. وأحـدثُ دراسـاته هـي «نهايـة العالـم والثـورة والإرهـاب: مـن السـيكاري إلى الثـورة الأمريكيـة ضد العالـم الحديـث» (Apocalypse, Revolution and Terrorism: From the Sicari to the American Revolt Against the Modern World)، والتـي نشرتهـا دار روتليـدج Routledge للنـشر في عـام 2019. وكان أسـتاذاً مشـاركاً في مسـاق الدين في جامعـة ويسكونسـن - أوشـكوش (الولايـات المتحـدة الأمريكيـة) وعضـو مجلـس المستشـارين الأكاديميـين في معهـد الجامعـة لدراسـة الديـن والعنـف والذاكـرة. والدكتـور كابـلان عضـوٌ في مجالـس تحريـر مجـلات «الإرهـاب والعنـف السـياسي» Terrorism and Political Violence و«نوفـا ريليجيـو» Nova Religio و«ذا بومغرانيـت» The Pomegranate. وهو حاليـاً أسـتاذٌ زائـر بكليـة الدكتـوراه في علـوم السـلامة والأمـن بجامعـة أوبـوداي، وزميـلٌ زائـر في معهـد الدانـوب في بودابسـت، المجـر. وقـام بالتدريـس أيضـاً في جامعـة حبيـب (كراتـشي، باكسـتان)، وكليـة الملك فهد الأمنيـة (الريـاض، المملكـة العربيـة السـعودية) وجامعـة جيلـين، كليـة العلاقـات الدوليـة والشـؤون العامة (تشانغتشون، الصين).